CHA
TILL
MISE

Riaghladair Carthannas na h-Alba
Carthannas Clàraichte
Registered Charity SC047866

Air fhoillseachadh ann an 2022 le Acair, An Tosgan,
Rathad Shìophoirt, Steòrnabhagh, Eilean Leòdhais HS1 2SD

www.acairbooks.com
info@acairbooks.com

Deilbhte agus dèanta le Acair.

An dealbhachadh agus an còmhdach le Mairead Anna NicLeòid.

Chuidich Comhairle nan Leabhraichean am foillsichear le cosgaisean an leabhair seo.

Tha Acair a' faighinn taic bho Bhòrd na Gàidhlig.

Gheibhear clàr catalog CIP airson an leabhair seo ann an Leabharlann Bhreatainn.

Clò-bhuailte le Hussar Books, A' Phòlainn

LAGE/ISBN: 978-1-78907-095-8

CHA TILL MISE

Conbhoidhean dhan Ruis anns an Dàrna Cogadh

RUARAIDH G MACILLEATHAIN

Rugadh Ruaraidh G Macilleathain ann an Ibrox, Glaschu ann an 1954, agus dh'fhàs e suas ann an teaghlach far an robh Gàidhlig air a cleachdadh gu làitheil, 's a phàrantan às an Eilean Sgitheanach.

Tha Ruaraidh agus a bhean, Mòrag, air a bhith a' fuireach ann an Leòdhas faisg air dà fhichead bliadhna. Anns an àm sin tha e air a bhith na òraidiche aig Colaisde a' Chaisteil, na Oifigear-foghlaim aig Museum nan Eilean, agus na Iar-cheannard air Sgoil MhicNeacail. Fhuair e PhD ann an 1994 airson rannsachadh a rinn e air cùrsaichean-bogaidh ann an Israel.

Clàr-innse

Air 11 Sultain 1928, chaidh druim HMS *Achates* (H12) a chur sìos aig gàrradh-iarainn John Brown, Abhainn Chluaidh.

Air 31 Dùbhlachd 1942, chaidh druim HMS *Achates* (H12) a chur fodha sa Chuan Artach leis an Kriegsmarine.

Seo sgeulachd mu na conbhoidhean dhan Ruis, na seòid a sheòl annta, agus am milleadair HMS *Achates*.

Upon this battle depends the
survival of Christian civilization.

Upon it depends our own British life
and the long continuity of our
institutions, and our Empire.

The whole fury and might of the enemy
must very soon be turned on us.

Hitler knows that we [he] will hv to break
us in this Island, or lose the war.

If we can stand up to him,
all Europe may be freed,
and the life of the world
may move forward into the
broad and sunlit uplands.

But if we fail,
then the whole world,
including the United States,
and all that we have known and
cared for,
will sink into the abyss of a
new Dark Age
made more sinister and
perhaps more prolonged by
the lights of perverted
Science.

Let us therefore brace ourselves to
our duty, and so bear ourselves that
if the British Empire and
Commonwealth lasts for a
thousand years, men will still
say,

'This was their finest hour'.

Lethbhreac notaichean òraid Churchill

1

CARAN A' CHOGAIDH

Anns an Dàrna Cogadh, eadar 1940 agus 1941, dh'fhuiling Breatainn gu mòr. Bha i an impis an cogadh an aghaidh na Gearmailt a chall, agus mura b' e gun d' fhuair 338,226 saighdearan air ais a Bhreatainn bho chladaichean na Frainge aig Dunkirk eadar 27 Cèitean agus 4 Ògmhios, 1940 is cinnteach gun robh cùisean air a bhith na bu mhiosa.

Deich latha an dèidh Dunkirk, Dihaoine 14 Ògmhios, bha saighdearan Gearmailteach a' caismeachd tro bhaile mòr Pharis. Disathairne 22 Ògmhios, shoidhnig muinntir na Frainge fosadh air an fheasgar, beagan an dèidh leth-uair an dèidh sia. Bha an Fhraing air tuiteam, is bha Breatainn a-nis a' seasamh na h-aonar an aghaidh na Gearmailt is làn fhios aig Prìomhaire Churchill gun robh an dùthaich ann an droch shuidheachadh. Thug e seachad òraid a tha fhathast ann an cuimhne mòran dhaoine:

> What General Weygand has called the Battle of France is over... the Battle of Britain is about to begin. Upon this battle depends the survival of Christian civilisation. Upon it depends our own British life, and the long continuity of our institutions and our Empire.[1]
>
> (18 Ògmhios, 1940)

Bliadhna an dèidh dhan Fhraing tuiteam, chuir Hitler *Opairèisean Barbarossa* an gnìomh agus ghluais e an aghaidh na Ruis Latha na Sàbaid, 22 Ògmhios, 1941. Thug e Barbarossa air an ionnsaigh air sgàth 's gun do dh'fheuch Ìompaire Naomh na Ròimhe, Frederick Barbarossa (1152-90), ri cumhachd na Gearmailt a sparradh air an Roinn Eòrpa anns an 12mh linn. Ochd linntean na dhèidh, dh'fheuch Adolf Hitler na feachdan Nàsach aige a sparradh air an Ruis aig Stalin.

Bha Hitler agus na Nàsaich ag iarraidh *Lebensraum* (talamh-fuirich) airson a' *Vaterland*, miann a bha air a bhith beò anns a' Ghearmailt bho na 1890an. Bheireadh dùthaich nan Ruiseanach Lebensraum dhan Ghearmailt gun teagamh agus bhiodh beairteas na chois. Anns a' Chabhcasach bha stòrasan ola agus air feadh tìr na Ruis bha tuathanasan torrach. Chuireadh na Nàsaich na Ruiseanaich agus na Slàbhaich gu cruaidh-obair mar thràillean gus am faigheadh a' Ghearmailt na toraidhean a bha Opairèisean Barbarossa a' gealltainn. Nam biodh tràillean ann nach robh gu feum, chuireadh na Nàsaich gu bàs iad a rèir Generalplan Ost.

Bha *Generalplan Ost* a' dol a dh'fhògradh a' mhòr-chuid de na tùsanaich a bha ann am meadhan agus taobh an ear na h-Eòrpa. (Do na Nàsaich bha 'fògradh' a' ciallachadh fuadach gu Sibeiria, no tràilleachd, no mort). Bha Generalplan Ost a' dol a bhualadh air muinntir na Pòlainn, na h-Ugràin, na Ruis, na Seic, agus dùthchannan Slàbhach eile nach robh Arianach. Thigeadh Gearmailtich a dh'fhuireach an àite muinntir nan dùthchannan sin agus leigeadh Generalplan Ost le muinntir nan dùthchannan sin bàsachadh leis an acras. Bhiodh am bàrr a dh'fhàs iad air a thoirt do shluagh na Gearmailt airson biadh.

Aig toiseach Opairèisean Barbarossa chaidh trì millean saighdear Gearmailteach a-steach dhan Ruis air *front* a bha a' sìneadh a-mach 2,900km (1,800 mìle). Còmhla riutha chaidh mu 3,000 tanc, 7,000 gunna mòr, agus 2,500 plèan. A bharrachd air feachdan Gearmailteach bha feachdan de shaighdearan às an Fhionnlainn agus Romàinia.

Chathaich an Ruis gu làidir an aghaidh nan Nàsach. Ann an 1941, dh'iarr Stalin cuideachadh air riaghaltas Bhreatainn. Thug Breatainn cuideachadh dha, ged a bha an Ruis air a bhith air taobh na Gearmailt

– sin, gus an do bhrath Hitler Stalin le Opairèisean Barbarossa. B' i feallsanachd Churchill, nam b' urrainn do Bhreatainn a' Ghearmailt a chumail a' sabaid air dà front, lagaicheadh seo an t-uilebheist mòr Nàsach.

Bha Stalin ag iarraidh air an RAF ionnsaighean a thoirt air dà bhaile air taobh tuath Lochlainn, Kirkenes ann an Nirribhidh, agus Petsamo anns an Fhionnlainn. Bha an *Luftwaffe* a' cleachdadh nan raon-laighe anns na bailtean sin anns an t-sabaid an aghaidh na Ruis.

Air 30 Iuchar, 1941 dh'èirich plèanaichean Feachd-Adhair a' Chabhlaich (FAA – Fleet Air Arm) suas bho dheiceannan HMS *Victorious* agus HMS *Furious* gus bomaichean a leagail air Kirkenes agus Petsamo.

Ged a bha amharas air Admaral John 'Jack' Tovey, Comanndair Cabhlach na Dachaigh mu èifeachdas a' phlana, bha Caibineat a' Chogaidh agus an *Admiralty* daingeann gum biodh ionnsaigh ann. Bha fios aig Tovey aig an àm sin den bhliadhna, cho fada tuath ri Kirkenes agus Petsamo, nach biodh oidhche no dorchadas ann agus gun cuireadh grian na meadhan-oidhche às do ionnsaigh gun fhiosta. Na bheachd-san, bhiodh feachdan Bhreatainn ann an cunnart ana-mhòr. Bha Tovey ceart. Chaidh naoinear luchd-seirbheis a mharbhadh agus 27 a leòn. Bha 16 plèanaichean air an call gun bhuannachd ri fhaicinn airson na saothrach. Sgrìobh aon ùghdar gur e 'unqualified disaster'[2] a bha ann.

Bha HMS *Achates* a' dol a bhith anns an sgrion-dìon aig an dà long-phlèana *Victorious* agus *Furious*. Ach air 25 Iuchar 1941, còig latha ron iomairt 's na soithichean a' cruinneachadh far costa Innis Tìle, bhuail HMS *Achates* ann am mèinn aig trì uairean sa mhadainn agus chaill i an toiseach aice. Na bu mhiosa na sin, chaill 65 den chriutha a bha nan cadal ann an toiseach a' bhàta am beatha.

Bha aon seòladair air bòrd air leth fortanach. B' e Harry Relf a bha air faire an oidhche ud agus aig meadhan-oidhche, an dèidh ceithir uairean a thìde air faire, chaidh e gu h-ìosal gu toiseach a' bhàta far an robh e a' coimhead air adhart ri beagan cadail. Ach, fhuair e a-mach gun robh am balach òg a bha a' dol a ghabhail an àite aige a' fulang gu dona le cur na mara. Thuirt Harry gun d' rachadh esan suas a-rithist airson ceithir uairean a thìde eile. Bha truas aige ris a' bhalach òg a bha dìreach air ùr-thighinn dhan a' bhàta. Trì uairean a thìde a-steach dhan a' 'watch' aige chaidh am mèinn dheth agus bha am balach òg air a chall ach bha Harry Relf air a shàbhaladh.[3]

Bha Ronald Weyman na Oifigear Seòlaidh air an *Achates* an oidhche ud agus seo mar a mhìnich e fhèin cùisean:[4]

Lioftanant Comanndair Ronald C Weyman

The Captain appeared beside me, scratching his straggly beard. He peered over my shoulder at the chart.

"What do you think, Wey?" he said.

"According to the Admiral's calculations at noon, sir, he says we are here," I replied, indicating a pencilled position on the chart, near the east coast of Iceland. "Present course and speed is calculated to bring us close to the minefield at 03:00. We are to skirt the minefield here," I replied. I shifted the pencil to a point along our projected course...I descended from the bridge, and made my way in the dark through the familiar orderly clutter of the upper deck.

The steel door creaked under my hand. I closed it and switched on the light. My little cabin was a haven in which the ever-present roar of the sea and the buffeting of the wind were reduced to a murmur... I brushed my teeth, climbed into my bunk, switched off the light and the radio, and to the gentle movement of the sea and the subdued throb of the engines, I fell asleep.

It seemed moments later there was a vast explosion. I was flung out of my bunk, moving so swiftly that my beautiful, radio-gramophone, dislodged by the impact, fell on my bunk where a second before, my head had rested.

4

I was already in my clothes, lacking only sea-boots. Around my chest, deflated, was the inseparable Mae West. I thrust my feet into the boots, pulled on my cap, and made for the door. The ship was curiously quiet. The engines had stopped, the deck under my feet was slanting in a peculiar manner. The heavy latch on the door was stiff, and in the dark I wrestled with it. It gave under my effort, and I burst out only to recoil with shock. Virtually everything forward of my cabin – the entire forecastle – had disappeared. Before me there was empty vertiginous space.

Below me, the sea humped, dark and oil-slicked. From a ripped and ragged piece of shattered bulkhead fluttered the remnants of a hammock, torn and bloody. There was an acrid smell of burnt cordite in the air. Strangely, I was alone.

I turned and in the darkness picked my way to the wheelhouse, the deck slanting under my feet. Cole-Hamilton, who had taken over from me earlier, as officer of the watch, was struggling with the ship's wheel. At his feet lay the helmsman, unconscious, bleeding from the mouth.

"See the Captain on the Bridge," said Cole-Hamilton.

I went up top. The Captain was speaking with quiet authority into the engine-room voice-pipe. The crisp voice of our Welsh engineer officer came back reassuringly. I glanced around the dark horizon. It was empty…The Chief Engineer appeared. He was covered with oil, wiping his hands on a piece of cotton waste. "I can give you two knots, Captain. Going astern."

"Very good, Chief," said [Captain] Jocylen…Jocylen had turned to the chart table. "Number One. We'll head for Seydisfiord. Thank God for a calm sea." He straightened up, "and let me know the casualties, will you?"

"The medical officer's onto it, sir."

"Very good." He turned to me. "We must reduce top-weight, Wey. Would you get a party onto B gundeck and jettison everything you can."

"Aye, aye. sir."

The Chief had gone back to his engine room, and presently the screws began to thump again under the ship's stern. The broken vessel shuddered throughout her reduced length, and presently began to move going slowly astern, meeting the cold, northern Atlantic waters.

Everything forward of "B" gun-deck was gone. The entire fo'c'sle, "A" gun, mess decks, accommodation for half the ship's company who were asleep at the time of the explosion. All gone. On "B" gun-deck itself, the explosion had caused a shambles. "A" steel gun-shield remained, but it was bent up at a ninety degree angle. Cables and live shells were littered on the tilting wet surface of the deck, along with a greasy substance which made footing precarious.

Some of the ready-use ammunition for the 4.7 had been damaged by the explosion, and now, wet with rain, it was exuding cordite, sending up nauseous fumes.

In that dim growing light of dawn, I collected half a dozen of a work crew – a petty officer, a steward still in his white mess jacket, and, together with hacksaws and wrenches and bare hands, we did our best to lighten the ship, flinging overboard the bubbling canisters of explosive, lethal 4.7 ammunition, unshackling broken wires and cables, dispensing with whatever we could move.

"Wot 'appened, sir?"

"Minefield."

HMS *Achates* air a tobhaigeadh an dèidh mèinn bualadh innte.
Tha i air a tobhaigeadh bhon chùl air sgàth 's gun robh a toiseach millte.

Milleadh a rinneadh air HMS *Achates* follaiseach an dèidh dhi tilleadh gu port.
Gu h-ìosal an luchd-tàrrsainn bhon sprèidheadh mèinne.

Chaidh an *Achates* a thoirt do Sheidisfjord ann an Innis Tìle gus tomhas a dhèanamh air a' mhilleadh. Cho-dhùin an Admiralty gum b' urrainn dhi a bhith air a càradh agus air a cur air ais ann an seirbheis. Rinneadh an *Achates* dìonach agus air 7 Lùnastal tharraing am bàta-slaodaidh *Assurance* i air ais a Bhreatainn, le HMS *Anthony* ga dìon. Air an t-slighe, dh'èirich stoirm a dh'fhosgail na sgàinidhean ann an slige *Achates* agus b' fheudar dhan flotilla bheag a dhol a-steach gu Skaglefjord, port anns na h-Eileanan Fàrach. An sin, chaidh tuilleadh càraidh a dhèanamh oirre.

An dèidh na tallain (bulkheads) aice a neartachadh, sheòl an *Achates* a-rithist air 21 Lùnastal, 1941. Thug an turas ceithir latha agus ann an dorchadas na h-oidhche, agus mar bheathach leònte a' sireadh sìd, ràinig an seann laoch an t-àite-càraidh a b' fheàrr ann am Breatainn – gàrradh-iarainn Swan Hunter air Abhainn Tyne. Bheireadh e naoi mìosan mus biodh am milleadair seo deiseil airson a dhol gu muir a-rithist.

2

HMS *ACHATES* AIR ÙRACHADH

Tràth sa Ghiblean, 1942

Nuair a thòisich an cogadh ann an 1939, chaidh na mìltean de dhaoine òga gu saor-thoileach dhan arm, do dh'fheachd an adhair, agus dhan nèibhidh. Chaidh an fheadhainn a mhiannaich a dhol dhan nèibhidh a chur gu ionadan-trèanaidh bunaiteach airson sia seachdainean. Bha an trèanadh seo gan deisealachadh airson soithichean-cogaidh a' Chabhlaich Rìoghail.

Seo mar a chuimhnich Henry Pallet air an trèanadh Nèibhidh aige air tìr aig HMS *Raleigh* faisg air Devonport:[5]

I received my final instructions and railway warrant to report myself to HMS *Raleigh*, Torpoint, Cornwall on the 19th December 1940. At HMS *Raleigh* I was first "fitted up", 2 blues, 2 whites, 2 shirts, 2 collars, 1 silk, 2 caps, 2 tallies, 2 pair boots, 2 each of socks, pants, singlets, blankets, 1 hammock, 1 greatcoat, 1 oilskin, 1 knife, 1 lanyard, 1 kitbag, 1 hat box, 1 housewife and was told: 'This is your gear. In future you buy your own, for which you will receive three pence a day on your pay.'

The three months at *Raleigh* I accepted and enjoyed and did well. The training consisted of drill with arms, gunnery, naval procedure, naval jargon, navigation, Morse, Semaphore, sailing, knots and splicing, ship and watch procedure.

It was usual procedure that all men were assigned to one of the Naval Divisions; Chatham, Portsmouth or Devonport…

Aig toiseach a' Ghiblein 1942, bha HMS *Achates* – cho breòite naoi mìosan air ais – a-nis na milleadair ùr le goireasan ùra. Agus, gu h-inntinneach b' ann tro fhialaidheachd muinntir Halesowen ann an iar-mheadhan Shasainn a chaidh cosgaisean càraidh HMS *Achates* a phàigheadh. Chruinnich iad £330,000 tro sgeama a bha an riaghaltas a' ruith – Warship Week. Bha bailtean beaga agus mòra air am brosnachadh gus airgead a thogail airson iomairt a' chogaidh a chuideachadh. Chaidh baile Halesowen mar sponsair air HMS *Achates*.

Cha robh a dhìth air an *Achates* a-nis ach criutha ùr. Thàinig cuibhreann math dhiubh à HMS *Pembroke*, an t-ionad-trèanaidh ann an Chatham. A bharrachd air na balaich òga sin a bha air an ùr-thrèanadh, bha maraichean agus oifigearan a bha eòlach. Thàinig an 193 criutha a bha oirre às gach ceàrnaidh de Bhreatainn.

B' e Caiptean an *Achates* aig an àm seo, Lioftanant Comanndair A.A. Tait, agus bhuineadh e do Bhirkenhead. Air latha a' choimiseanaidh, choinnich e ris a' chriutha ùr a bha nan seasamh ann an rangan air a' chidhe. Dh'inns e dhaibh na bha e a' sùileachadh bhuapa, agus b' e sin an oidhirp a b' fheàrr a b' urrainn dhaibh a thoirt seachad. Choisich an criutha air bòrd agus air an deic leugh an Caiptean a-mach The Articles of War*. Seo sreath de riaghailtean a bha a' mìneachadh mar bu chòir do dh'fheachdan a bhith gan giùlan fhèin ann an cogadh.

An dèidh seirbheis ath-choisrigidh agus beannachaidh, thug an criutha stòran air bòrd. Bhiodh iad an sàs ann an deuchainnean-mara a mhaireadh fad cola-deug.

Dihaoine, 24 Giblean, 1942

Air 24 Giblean dh'fhàg HMS *Achates* Tyneside airson Loch Iùbh, far am fuiricheadh i gu toiseach a' Chèitein. Bha an criutha fhathast a' cur eòlas air a' bhàta 's air na bha aca ri dhèanamh aig 'Action Stations'. Bha inneal-cogaidh ùr aca, an *Hedgehog*. Bhiodh sin a' tilgeil 'depth charges' air thoiseach air a' bhàta.

Chuimhnich HJ Scott-Douglas[6] a bha air HMS *Achates* air na lathaichean sin:

We left the Tyne and went round to Loch Ewe for working up, exercises, and practice with our new weapon, a hedgehog that threw 24 bombs ahead of the ship to sink submarines. After some submarine sweeps in the Minches we returned to Gourock on the Clyde which was the base for the Clyde Special Escort Group. We now prepared for our first convoy to Russia. It was P.Q.16 in May 1942. My 19th birthday had just passed. We escorted the convoy to Iceland where it would join up with the American section; we stayed at Seydis Fiord until the convoy was assembled…at this time of the year it was 24hrs. daylight no darkness. The sun sank to the horizon, travelled to the east, and rose again. It was never out of sight.

Le dà ghunna 4.7", dà phom-pom dà phunnd, ceithir tiùbaichean-torpedo, ceithir tilgeadairean 'depth charge' agus dà thrap 'depth charge' aig an deireadh, bha an *Achates* air a deagh armachadh. Bha an t-inneal ùr ràdar aice cuideachd – an seòrsa cumanta 291, agus am fear as ùire seòrsa 271, a b' urrainn peireasgop bàta-U air uachdar na mara aithneachadh.

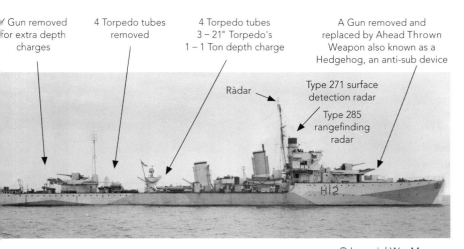

Gun removed for extra depth charges

4 Torpedo tubes removed

4 Torpedo tubes
3 – 21" Torpedo's
1 – 1 Ton depth charge

A Gun removed and replaced by Ahead Thrown Weapon also known as a Hedgehog, an anti-sub device

Ràdar

Type 271 surface detection radar

Type 285 rangefinding radar

H12

© Imperial War Museum

*Bha an abairt 'The Articles of War' air a cleachdadh an toiseach ann an 1637 ann an leabhar a sgrìobh an Seanalair Robert Monro: *Monro, His expedition with the worthy Scots regiment called Mac-keyes regiment.*

3

CONBHOIDH PQ16

B' e PQ16 an conbhoidh bu mhotha a dh'fhàg cladaichean Bhreatainn gu ruige sin. Bha 30 bàta-marsantachd ann an Loch Iùbh a' dol a choinneachadh ri còig soithichean eile a bha a' feitheamh ann an Innis Tìle.

Seo mar a mhìnich Herbert Geoffrey Hall mar a sheòl e à Cluaidh anns a' bhàta-marsantachd, *Ocean Voice,* air an robh an Comodoir:

> From the Clyde we went up the coast to Loch Ewe whence I was able to get fresh views of many of my old friends, the hills of Scotland, and especially the Cuillin of Skye.
>
> The convoy was made up in Loch Ewe and we were made Commodore Ship, i.e. we carried the Commodore and his staff of Naval ratings, and we led the convoy. So to Iceland where again I enjoyed the rugged mountainous scenery and we stayed for about a week, all the time on 4 hours notice, which meant staying on watches. As we could not get ashore we were glad to set off again on the 20th May.
>
> Now we had a convoy of 36 Merchant ships, accompanied by many warships from cruisers to trawlers including a CAM ship, one where a merchant ship had a long ramp fitted on the foredeck from which a Hurricane fighter could be launched to do battle with enemy bombers. The main snag was that the plane could not get back, had to be ditched and hopefully the pilot be picked up. They were brave men who flew those missions.

Diardaoin, 21 Cèitean, 1942

Dh'fhàg PQ16 Hvalfjord ann an Innis Tìle air 21 Cèitean – 35 soithichean à còig dùthchannan: Ameireagaidh (21), An Ruis (4), Breatainn (8), An Òlaind (1), agus Panama (1). Bha PQ16 a' dèanamh air an Ruis le carago cogaidh.

Mus do thog na bàtaichean na h-acraichean aca, chaidh coinneamh a chumail anns an Naval Control of Shipping Office aig docaichean Hvalfjord. Anns an àite sin chruinnich Caipteanan nan 35 bàtaichean-marsantachd agus Comanndairean nan 'escorts'.

Chuala iad na seòlaidhean aca bho Richard Onslow a bha air HMS *Ashanti*. B' esan Comanndair an *Escort Force* agus os cionn a' chonbhoidh gu lèir. Mhìnich e dhan luchd-èisteachd an ro-innleachd a bha an conbhoidh a' dol a chleachdadh nan tigeadh iad fo ionnsaigh. An dèidh dha sguir, bhruidhinn Comodoir nam bàtaichean-marsantachd air cho cudromach 's a bha e cumadh a' chonbhoidh a ghleidheadh aig muir; mun t-slighe bha iad a' dol a ghabhail; na gluasadan aca; funailean a chumail bho a bhith a' smocadh (bha e na b' fhasa dhan nàmhaid ceò funail fhaicinn aig muir na oir-loidhne bàta); agus, cho cudromach 's a bha e faire a chumail.

Cha robh an *Achates* no na milleadairean eile ann an Hvalfjord air 21 Cèitean. Bha iad air a dhol na bu tràithe airson connadh gu Seidisfjord, geodha air taobh an ear Innis Tìle. B' ann anmoch air 24 Cèitean a choinnich an *Achates* agus na milleadairean eile ris a' chonbhoidh. Chaidh bacadh a chur orra air sgàth ceò mara. Ach nuair a thog an ceò, b' e sealladh taitneach a bha ann naoi colbhan de bhàtaichean fhaicinn, a' sìneadh a-mach còig mìle bho chlì gu deas. Bha Comodoir a' chonbhoidh aig toiseach na sreath meadhain anns an *Ocean Voice* agus air ceann gach colbh eile bha soitheach Breatannach.

PQ16 Merchant ships

Name	Flag	Tonnage	Notes
Alamar (1916)	USA	5,689	Sunk by aircraft
Alcoa Banner (1919)	USA	5,035	
American Press (1920)	USA	5,131	
American Robin (1919)	USA	5,172	
Arcos (1918)	Soviet Union	2,343	
Atlantic (1939)	UK	5,414	
RFA *Black Ranger* (A163)	UK	3,417	
Carlton (1920)	USA	5,127	Damaged by near-misses. Towed back to Iceland by *Northern Spray*.
Chernyshevski (1919)	Soviet Union	3,588	
City Of Joliet (1920)	USA	6,167	Sunk by aircraft
City Of Omaha (1920)	USA	6,124	
Empire Baffin (1941)	UK	6,978	Damaged by near-misses.
Empire Elgar (1942)	UK	2,847	
Empire Lawrence (1941)	UK	7,457	Sunk by aircraft. Carried a catapult and one Hawker Sea Hurricane
Empire Purcell (1942)	UK	7,049	Sunk by aircraft
Empire Selwyn (1941)	UK	7,167	
Exterminator (1924)	Panama	6,115	
Heffron (1919)	USA	7,611	
Hybert (1920)	USA	6,120	
John Randolph (1941)	USA	7,191	
Lowther Castle (1937)	UK	5,171	Sunk by aircraft (aerial torpedo)

Massmar (1920)	USA	5,828	
Mauna Kea (1919)	USA	6,064	
Michigan (1920)	Panama	6,419	
Minotaur (1918)	USA	4,554	
Mormacsul (1920)	USA	5,481	Sunk by aircraft
Nemaha (1920)	USA	6,501	
Ocean Voice (1941)	UK	7,174	Convoy Commodore Damaged by bombs but reached port
Pieter De Hoogh (1941)	Netherlands	7,168	
Revolutsioner (1936)	Soviet Union	2,900	
Richard Henry Lee (1941)	USA	7,191	
Shchors (1921)	Soviet Union	3,770	
Stari Bolshevik (1933)	Soviet Union	3,974	Damaged by bombs but reached port
Steel Worker (1920)	USA	5,685	Reached port but was later bombed in harbour and sunk.[12]
Syros (1920)	USA	6,191	Sunk by U-703
West Nilus (1920)	USA	5,495	

PQ16 Close Convoy Escort

Name	Flag	Ship Type	Notes
HMS *Alynbank*	Royal Navy	Anti-aircraft	Escort 23-30 May AA ship
HMS *Hazard*	Royal Navy	Minesweeper	21-30 May; Ocean Escort
HMS *Lady Madeleine* (FY 283)	Royal Navy	ASW* Trawler	21 May; Western Local Escort
HMS *St Elstan* (FY 240)	Royal Navy	ASW* Trawler	21 May; Western Local Escort

*ASW – Anti-Submarine Warfare

15

HMS *Retriever* (FY 261)	Royal Navy	ASW* Trawler	21-25 May; Western Local Escort
HMS *Northern Spray* (FY 129)	Royal Navy	ASW* Trawler	21-26 May; Western Local Escort
HMS *Achates*	Royal Navy	Destroyer	23-30 May; Ocean Escort
HMS *Ashanti*	Royal Navy	Destroyer	23-30 May; Ocean Escort, Senior Officer Escort
HMS *Martin*	Royal Navy	Destroyer	23-30 May; Ocean Escort
HMS *Volunteer*	Royal Navy	Destroyer	23-30 May; Ocean Escort
ORP *Garland*	Royal Navy	Destroyer	23-27 May; Ocean Escort
HMS *Honeysuckle*	Royal Navy	Corvette	23-30 May; Ocean Escort
HMS *Roselys*	Royal Navy	Corvette	23-30 May; Ocean Escort
HMS *Starwort*	Royal Navy	Corvette	23-30 May; Ocean Escort
HMS *Hyderabad*	Royal Navy	Corvette	23-30 May; Ocean Escort
HMS *Seawolf*	Royal Navy	Submarine	23-29 May; Ocean Escort
HMS *Trident*	Royal Navy	Submarine	23-29 May; Ocean Escort
HMS *Bramble*	Royal Navy	Minesweeper	28-30 May; Eastern Local Escort
HMS *Gossamer*	Royal Navy	Minesweeper	28-30 May; Eastern Local Escort
HMS *Leda* (J93)	Royal Navy	Minesweeper	29-30 May; Eastern Local Escort
HMS *Seagull*	Royal Navy	Minesweeper	28-30 May; Eastern Local Escort
Grozni	Russian Navy	Destroyer	28-30 May; Eastern Local Escort

Kuibyshev	Russian Navy	Destroyer	28-30 May; Eastern Local Escort
Sokrushitelny	Russian Navy	Destroyer	28-30 May; Eastern Local Escort
RFA *Black Ranger* (A163)	UK	Fleet Oiler	Force "Q"
HMS *Ledbury*	Royal Navy	Destroyer	23–30 May; Force "Q", escorted RFA *Black Ranger*

PQ16 Cruiser Cover Force

Name	Flag	Ship Type	Notes
HMS *Kent*	Royal Navy	Heavy Cruiser	23-26 May
HMS *Norfolk*	Royal Navy	Heavy Cruiser	23-26 May
HMS *Liverpool*	Royal Navy	Light Cruiser	23-26 May
HMS *Nigeria*	Royal Navy	Light Cruiser	23-26 May
HMS *Marne*	Royal Navy	Destroyer	23-26 May
HMS *Onslow*	Royal Navy	Destroyer	23-26 May
HMS *Oribi*	Royal Navy	Destroyer	23-26 May

PQ16 Distant Covering Force (Home Fleet)

Name	Flag	Ship Type	Notes
HMS *Victorious*	Royal Navy	Aircraft Carrier	23-29 May
HMS *Duke of York*	Royal Navy	Battleship	23-29 May
USS *Washington*	USA	Battleship	23-29 May
USS *Wichita*	USA	Heavy Cruiser	23-29 May
HMS *London*	Royal Navy	Heavy Cruiser	23-29 May
HMS *Blankney*	Royal Navy	Escort Destroyer	23-29 May
HMS *Eclipse*	Royal Navy	Destroyer	23-29 May

HMS *Faulknor*	Royal Navy	Destroyer	23-29 May
HMS *Fury*	Royal Navy	Destroyer	23-29 May
HMS *Icarus*	Royal Navy	Destroyer	23-29 May
HMS *Intrepid*	Royal Navy	Destroyer	23-29 May
HMS *Lamerton*	Royal Navy	Escort Destroyer	23-29 May
HMS *Middleton*	Royal Navy	Escort Destroyer	23-29 May
HMS *Wheatland*	Royal Navy	Escort Destroyer	23-29 May
USS *Mayrant*	USA	Destroyer	24-29 May
USS *Rhind*	USA	Destroyer	24-29 May
USS *Rowan*	USA	Destroyer	24-29 May
USS *Wainwright*	USA	Destroyer	24-29 May

Diluain, 25 Cèitean, 1942

Air 25 Cèitean, ceithir latha an dèidh Innis Tìle fhàgail, choinnich PQ16 ri sguadran de 4 crùsairean agus 3 milleadairean fo chomannd Rear Admiral Harold Burrough a bha anns a' chrùsair HMS *Nigeria*.

Bha HMS *Nigeria* cleachdte ris na h-uisgeachan timcheall oirthir Lochlainn agus bha eachdraidh chliùiteach aice. Bliadhna ron seo san Ògmhios 1941 bha i na pàirt den bhuidheann nèibhidh a ghlac soitheach-aimsir Gearmailteach, an *Lauenberg*, ear-thuath air Eilean Jan Mayen. Fhuair iad grèim air leabhraichean còd agus pìosan de uidheam Enigma air bòrd an *Lauenberg*. Thachair seo beagan sheachdainean an dèidh do HMS *Bulldog* uidheam Enigma slàn a ghlacadh far U-110 deas air Innis Tìle. Thug an t-uidheam Enigma agus na leabhraichean còd am fiosrachadh a bha a dhìth air Alan Turing agus a' bhuidheann aige a bha ag obair ann am Bletchley Park. Bhris iad còd nan Gearmailteach le cuideachadh mar seo. Thug seo buaidh mhòr air a' chogadh anns an Atlantaig oir bha e comasach do Bhreatainn teachdaireachdan nam bàtaichean-U a leughadh airson grunnan sheachdainean gus an do dh'atharraich na Gearmailtich na còdan.

Chaidh na 4 crùsairean agus na 3 milleadairean fo chomannd Admaral Burrough a-steach am measg colbhan PQ16 agus bha barrachd dìon ann a-nis an aghaidh ionnsaighean bhàtaichean-U, an Luftwaffe, agus longan-cogaidh nan Gearmailteach. Bha an Admiralty ann an Lunnainn den bheachd gum biodh an cunnart bu mhotha air uachdar na mara bhon long-chogaidh an *Admaral Scheer* a bha ann an Narvik, an long-chogaidh *Lützow*, am milleadair *Hans Lody* agus am bàta-torpedo T7.

Air an 25mh, nochd *Focke-Wulf Condor* – itealan-spotair. Chuairtich am plèan seo an conbhoidh. Chùm e fada gu leòr air falbh gus nach b' urrainn do na gunnaichean Breatanach losgadh air. Bha itealain-spotair ag iadhadh PQ16 a latha agus a dh'oidhche fad an turais dhan Ruis. Dh'innseadh gach spotair cùrsa agus astar a' chonbhoidh do na bàtaichean-aiginn a bha a' feitheamh air cothrom bàta-marsantachd a chur fodha. Uaireannan laigheadh an *Condor* air an uisge airson uair a thìde no dhà gus connadh a shàbhaladh, agus an uair sin thogadh e air falbh a-rithist.

Feasgar 25 Cèitean, chunnaic an conbhoidh a' chiad shealladh aca air bàt'-aiginn air uachdar na mara. Chaidh am bàta-U fon uisge ann an cabhaig, ach cha d' fhuair na milleadairean òrdugh a dhol na dhèidh. Dh'fheumadh iad gluasad air adhart còmhla ris a' chonbhoidh.

B' ann mu 23:00, agus a' ghrian fhathast a' deàrrsadh gu soilleir, a thàinig a' chiad ionnsaigh-adhair. Nochd bomairean agus plèanaichean-torpedo mar fheannagan a bha airson sùil a thoirt à uan. Bha na speuran air am breacadh leis an losgadh a bha na crùsairean a' cur suas. Thuit a dhà de na plèanaichean Gearmailteach às an adhar.

Chuir Hurricane a chaidh a thilgeil bho long CAM (Catapult Aircraft Merchant Ship) an *Empire Lawrence* às do aon bhomair-torpedo. Nuair a bha an gnothach seachad, cha robh ach aon bhàta-marsantachd air a dì-chomasachadh (An *Carlton*) agus chaidh a tobhadh air ais a dh'Innis Tìle. Gu mì-fhortanach, chaidh losgadh air a' Hurricane agus b' fheudar dhan phìleat a pharaisiut a chleachdadh. Chaidh a thogail le bàta-dìon.

Seo mar a sgrìobh am fear-naidheachd cogaidh, Alexander Werth, mun ionnsaigh[8]. Bha esan air bòrd HMS *Honeysuckle* còmhla ris a' Chaiptean Roy Dykes:

They appeared in the distance, on the starboard side, low above the water: three – four – five, then three more, then four or five after that, further to the right. We were all on deck – the R.A.F. boys, with their tin hats, and the deck-hands, the cabin boys – and we counted and watched. Eleven, twelve, thirteen ….

Something was already happening ahead of us. The gunners had rushed up to the gun-turrets. The two cruisers which had suddenly joined us earlier in the day and the destroyers on the edge of the convoy were firing like mad. It was a beautiful bright day, the sea calm and blue like the Mediterranean, and the sky was now dotted with specks of smoke from the flak shells.

They went in a half-circle round the front of the convoy then, after a few seconds of suspense, they came right out of the sun. They swooped over us, two or three in succession, and from their yellow bellies the yellow eggs dropped, slowly, obscenely. They were after the cruisers, in the middle of the convoy.

The tracer-bullets from our Oerlikons were rushing at the yellow belly of the Junker 88 as he swooped over us. A loud squeal, growing louder and louder, and then the explosion, as a stick of bombs landed between us and the destroyer, on the port side. Three pillars of water went high up in the air, and the ship shook. As he dived, almost to the water level, our tracer-bullets followed him, but he got out of their way and on the bridge Captain Dykes, wearing a wide navy-blue beret, was waving and shouting frantically: 'Don't fire so low! You're hitting the next ship'. …

Dh'inns Werth cuideachd nach b' e na Gearmailtich a thug a-nuas an Hurricane:

Meantime the catapult Hurricane on the *Empire Lawrence* had leaped swiftly into the air, in pursuit of the dive-bombers. Swiftly it went in a wide circle round the convoy ready to pounce on one of them; but here something unfortunate happened; one of the American cargoes, no doubt mistaking the Hurricane for a German plane, fired what gun or machine-gun it had at him, and the next thing we saw was the pilot baling out by parachute, with nothing to show for his exploit, and with the Hurricane nothing to show for its £5,000.

Bha an deigh agus an fhuachd an-còmhnaidh air inntinn gach seòladair a bha air na Conbhoidhean dhan Ruis oir bha fios aca nan tuiteadh iad dhan mhuir gum biodh iad air an reothadh gu bàs ann am beagan mhionaidean, mar a mhìnich an Caiptean Roy Dykes a bha air HMS *Honeysuckle*:

If you take a frozen package from your deep freezer and hold it in your hand, in a matter of seconds your fingers will start to hurt, and the tips will start to turn blue. It is very painful and if you don't drop it quickly, it will stick to your hand. Think of the short seconds taken for that situation to happen, and then relate it to a man thrown from his ship as it blows up, into a sea that has ice sludge floating on the surface.[9] …It was so cold, you lost your breath and couldn't call out. You could not survive.[10]

An dèidh na h-ionnsaigh chaidh an conbhoidh tro raon-deighe. Bha sgrìobadh na deighe ri cliathaichean nan soithichean air an oidhche mar sgread. Ach, b' fheàrr leis na seòladairean a bhith ag èisteachd ri sgiamhail na deighe air slige an t-soithich na ri sgreuch nan einnseanan Nàsach bhon adhar.

Raon-deighe san Artaig (À cruinneachadh teaghlach Bean)

Dh'inns an Caiptean Dykes cuideachd:

The decks would be very slippery with ice, and the ship would be rolling, but you daren't touch the rails because if you did, you would lose your skin. The hardest part was trying to get some rest. We had 24 hours of daylight and we were constantly attacked, not by single aircraft but hundreds at a time.[11]

4

BÀTAICHEAN-U

Dimàirt, 26 Cèitean, 1942

Mu 03:00 madainn Dimàirt, 26 Cèitean, chaidh siognailean *sonar* bho bhàta-U a thogail. Chaidh U-703 a-steach seachad air sgrìon dìon Conbhoidh PQ16 agus chuir Kapitän-leutenant Heinz Bielfeld torpedo anns an t-*Syros*, bàta-marsantachd às na Stàitean Aonaichte. Bha an *Syros* aig deireadh an t-seachdamh cholbh den chonbhoidh. Chaidh i fodha gu luath. A-mach à criutha de 40, chaidh 12 a chall. Shàbhaladh 28. Seo mar a chaidh innse:[12]

At 02:59 hours on 26 May 1942 the **Syros** (Master, Cornelius Albert Holmes) in convoy PQ-16 was hit on the port side by two torpedoes from U-703 about 200 miles southwest of Bear Island. The first torpedo had been spotted by other ships in convoy and was fired on, but it struck abreast of her stack in the engine room and was followed by a second torpedo which hit at the number 2 hatch, causing the ammunition in the cargo to explode. The ship broke in two and sank within 80 seconds. The eight officers, 30 crewmen and two armed guards were not able to abandon ship in the lifeboats because both on the port side had been destroyed by the explosions, and the others could not be launched in time. The survivors left on three rafts or jumped overboard and clung to wreckage until they were picked up by HMS *Hazard* (Lt Cdr J.R.A. Seymour, RN) and landed at Murmansk, but two of them died of exposure and were buried at sea. The master, two officers, eight crewmen and one armed guard were lost.

An turas seo, chaidh an *Achates* às dèidh U-703. Bha fios aig Kapitän-leutenant Heinz Bielfeld nach robh ASDIC ag obair ro mhath far an robh sreathan de dh'uisge ann aig teasan eadar-dhealaichte (thermoclines[13]). Chuir e am bàta-U aige aig sìos gu doimhneachd na b' fhuaire na teas an uisge anns an robh an *Achates*.

Cha d' fhuair an *Achates* lorg air U-703. Agus, a thuilleadh air sin, aig an àm a bha an *Achates* a' sealg nam bàtaichean-U, bhris Admaral Burrough[14] air falbh bho mheadhan a' chonbhoidh agus sheòl e aig 20 knots (23mph) gu luath gu tuath, mas fhìor airson taic a thoirt do chonbhoidh QP12 a bha air a shlighe air ais on Ruis. Chuir seo na h-Aimeireaganaich agus na Ruiseanaich fo imcheist. Bha a' chumhachd-losgaidh aig PQ16 a-nis air a lagachadh. (Is cinnteach gur e fìrinn na cùise gun robh e cunnartach dhaibh a bhith ann an meadhan conbhoidh slaodach agus cha bhiodh an Admiralty airson soithichean Burrough a chall an dèidh do HMS *Trinidad* agus HMS *Edinburgh* a bhith air an cur fodha na bu tràithe sa Chèitean.)

Bha iomadach bàta-U, a' cuairteachadh PQ16 agus leig U-436 agus U-591 torpedothan às a chaidh gu math faisg air bàta-marsantachd agus air HMS *Ashanti*. Cha deach milleadh a dhèanamh ge-tà.

Anns an leabhar aige, **Sonar: Detector of Submerged Submarines**, tha AP Hilar ag innse:[15]

(*1*) Sound travelling in warm surface water bends sharply downward when it passes through a thermocline (a region where temperature decreases sharply with depth) and results in very weak echoes being returned from submarines beneath the thermocline, (*2*) …thermoclines may cause loss of Sonar contact, (*3*) …U-boats may hide under thermoclines.

Dh'fhaodadh bàtaichean-U a dhol sìos gu doimhneachdan eadar 90-100 meatair gun dragh sam bith. Chaidh cuid de na comanndairean sìos gu doimhneachd 200 meatair ann an àm èiginn, agus a rèir aithisgean thàrr iad às. Ach bha '*collapse depth*' (an doimhneachd a sgàineadh slige bàta-U le bruthadh an uisge) air a thomhas eadar 200-280 meatair (660-920 troigh).

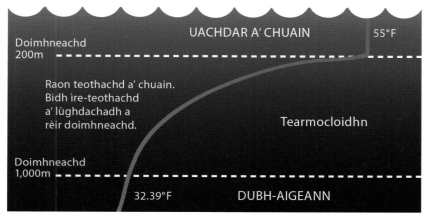

UACHDAR A' CHUAIN   55°F

Doimhneachd
200m

Raon teothachd a' chuain.
Bidh ìre-teothachd
a' lùghdachadh a
rèir doimhneachd.

Tearmocloidhn

Doimhneachd
1,000m

32.39°F   DUBH-AIGEANN

Tearmocloidhn

Submarine Commander's Handbook

Geheim!
Entered in the "TOK" List of Secret Records ("TOK" = "Torpedo
[-boat] Command") under current number 5; Submarine "U2326."

THE SUBMARINE COMMANDER'S HANDBOOK
("U.Kdt.Hdb.")
Incorporated in the Secret Archives
under Heading IV, No. 4
Command 32, Submarine Flotilla

1942
New Edition 1943
(comprising Amendments Nos. 1-11)
High Command of the Navy

D.V. No. 906

Seo a' chomhairle a bha *The Submarine Commander's Handbook*[16] aig na Gearmailtich a' moladh.

Section IV

Action to be taken in case of Defensive Action and Pursuit by the Enemy.

246.) The object of the enemy anti-submarine defence and offensive action is the destruction of the submarine, either by direct armed attack underwater, or by keeping the submarine underwater to the point of exhaustion, and then destroying it when it surfaces.

247.) As a matter of principle, the submarine which is the object of enemy underwater pursuit should behave in such a way that it remains active, and should try to make good its escape by availing itself of every possibility, instead of simply waiting, and lying passively at the bottom. Activity on the part of the submarine always offers the best chances of shaking off the enemy.

248.) In all operations, the chief danger for the submarine is at the beginning, when the enemy, having witnessed the attack by the submarine, and seen it submerge, is best able to assess its position, and the submarine has not yet reached any great depth.

Consequently, if the submarine has been detected, it should leave the scene of the attack, or the spot where it has submerged, at full speed, and go deep down without troubling about the possibility of being sound-located.

249.) Free

A. What to do when pursued by Sound Location.

250.) Attention is called to the general remarks concerning enemy sound location: Section I, B, II, Nos. 46 to 54.

Suggestions as to the possibilities of shaking off the enemy:

a) Take the D/F sound location of the enemy astern.

b) Eliminate all sources of noise in the submarine: stop all auxiliary machinery which is not indispensable (pumps, ventilators, compressors, periscope motor, gyroscopic compass – above all, the secondary gyroscopes – etc.); main rudder and hydroplane should be operated by hand; pumping out, and trimming, with air; depth steering as far as possible only by head list, and then trimming by hand.

c) Absolute silence of the crew on board the submarine; speaking in low tones, working silently, moving about in stockinged feet, etc.

d) Go down very deep; the deeper the position of the submarine, the greater the probability of being incorrectly sound-located.

e) Run out and double at a good distance, and then make off on a straight course, in order to get well away from the pursuing enemy forces. Do not double frequently, or continually zigzag, because this results in loss of distance.

f) If possible, get away in the wake of the enemy's screw, on account of the effective interference level affecting his reception in sound location.

g) Accelerate your speed when the enemy accelerates (or when depth charges are detonated), and stop, or slow down to minimum r.p.m. of the engine, when the enemy stops.

Beatha air bòrd bàta-U

Cha b' e beatha thlachdmor a bha aig na seòladairean anns na bàtaichean-U. Bha an criutha a' fuireach ann an siolandair. Fon deic bha tancaichean daibhidh, bataraidhean, rùm-torpedo, einnsean dìosal, agus motairean-dealain. Cha robh mòran rùm ann airson daoine.

A bharrachd air a bhith a' fuireach ann an siolandair dùmhail, bha dìth èadhair ann. Cha robh dòigh ann fon uisge air carbon dà-ogsaid a thoirt air falbh agus cha robh uidheam aca airson ogsaidean a chur dhan èadhar. Thàinig na rudan sin na b' fhaide air adhart sa chogadh, ach cha robh iad ann aig an toiseach. Bha uidheamachd phearsanta ann am bàta-U a chuireadh gach seòladair orra airson carbon dà-ogsaid a thoirt air falbh.

Gu h-iongantach cha robh àitean anns a' bhàta airson biadh mar lusan a ghleidheadh agus rachadh iad seo dheth gu luath. Nì motha a fhuair iad trèanadh air biadh a ghleidheadh is a stòradh. Aon uair chaidh bàta-U a ghlacadh agus a shlaodadh air cladach ann an Innis Tìle. B' fheudar don dithis oifigear Breatannach a chaidh air bòrd gus rannsachadh a dhèanamh inneal-analachaidh a chur orra leis cho làidir is a bha am fàileadh na bhroinn.

Nuair a chaidh iad innte, bha iad a' coiseachd ann an uisge suas gu an glùinean. Anns an uisge bha na chuir na seòladairean Gearmailteach a-mach nuair a bha tinneas-mara orra. Cuideachd, bha salachar daonna ann, aran dubh nan Gearmailteach, agus brochan a chaidh a dhortadh agus a bha a' seòladh am measg gach nì. Bha am fàileadh do-chreidsinneach a rèir nan oifigearan[17]. Is dòcha nach robh staid a' bhàta-U na iongnadh nuair a thuigeas sinn nach robh ach aon taigh-beag air bòrd airson 50 neach. Gu math tric bhiodh na seòladairean a' cleachdadh pheilichean.

A rèir eòlaichean anns a' Chabhlach Rìoghail, bha na soithichean fhèin air an deagh thogail. Ach, bha na siostaman air bòrd gu math bunaiteach. Bha feadhainn den bheachd gur e an t-adhbhar airson seo gun robh na Gearmailtich a' creidsinn ann an àm cogaidh gum biodh e na b' fhasa trèanadh a thoirt do sheòladairean ùra air bàtaichean-U nam biodh siostaman furasta ann, gu h-àraidh mura robh mòran foghlaim aig a' chriutha.

Dh'inns aon eòlaiche sgeulachd èibhinn mu bheatha air bòrd.

Bha athair air bàta-U agus aon turas chaidh iad air tìr ann am Spitzbergen agus fhuair iad lorg air taigh-òsta a bha air fhalmhachadh, ach cha deach an deoch-làidir fhalmhachadh. Nuair a thuig comanndair a' bhàta-U seo, thuirt e ris an sgioba nach fhaodadh iad aon bhotal uisge-beatha a thoirt am broinn a' bhàta. Bha fios aig a' chriutha gun robh gunna 88mm aca air an deic, agus bha am barail dìreach mòr gu leòr airson grunnan bhotal uisge-bheatha a' stobadh ann.[18]

Cha do mhair èifeachdas nam bàtaichean-U fad a' chogaidh ge-tà. Ann an 1940, bha gach bàta-U aig muir a' cur fodha suas ri 6 bàtaichean-marsantachd gach mìos. Ann an 1942, ge-tà, cha robh na bàtaichean-U a' cur fodha ach aon bhàta-marsantachd gach mìos. Tha cuid den bheachd gun robh dà adhbhar ann airson seo – Ràdar agus Huff-Duff (High Frequency Direction Finder). Le ràdar chitheadh soithichean a' Chabhlaich Rìoghail agus plèanaichean an RAF na bàtaichean-U air na sgàilein aca anns an dorchadas. Bha comas aig Huff-Duff aithneachadh cò às a bha brath-rèidio a' tighinn. Dh'fheumadh gach bàta-U teachdaireachd ghoirid a chur dhan oifis-dachaigh aca air tìr nuair a bha iad a' dol a thoirt ionnsaigh air soitheach. Bha am brath-rèidio goirid seo gu leòr airson Huff-Duff.

5

IONNSAIGHEAN-ADHAIR AIR PQ16

Dimàirt, 26 Cèitean, 1942

B' ann mùgach a bha madainn 26mh Cèitean agus bha na sgòthan gu math ìosal. A dh'aindeoin sin, thòisich ionnsaighean an Luftwaffe tràth sa mhadainn agus mhair iad gu 18:00. Anns an ionnsaigh mu dheireadh, thàinig seachd bomairean-torpedo, ach chuir balla-casg làidir bho shoithichean PQ16 teicheadh orra.

Mu mheadhan-latha thog ASDIC an *Achates* bàt'-aiginn gu deas-bhòrd agus ghreasaich am milleadair a h-astar a' feuchainn ri dlùthachadh. Bha gach prosbaig ri faire agus chunnaic seòladair spot dubh air iomall na spèire. An dèidh greis dh'atharraich an spot gu tùr bàt'-aiginn. Bha an *Achates* a-nis trì mìle air falbh. Chunnaic am bàta-U iad agus chaidh i fon uisge. Ged a rinn an *Achates* rannsachadh sguèir a rèir na drile, cha d' fhuair i lorg air a' bhàt'-aiginn. Ach dìreach nuair a bha i a' dol a sgur ga sireadh, chuala an duine a bha ag obair an ASDIC fuaim thorpedothan a' tighinn le roid a dh'ionnsaigh an *Achates*. Chaidh rotail dà thorpedo fhaicinn. Dh'atharraich an Caiptean a chùrsa gu grad agus shiubhail na torpedothan seachad air a' bhàta. Chaidh rannsachadh sguèir a dheanamh a-rithist, ach cha deach lorg fhaighinn air a' bhàt'-aiginn agus thill an *Achates* dhan sgrion-dìon.

Diciadain, 27 Cèitean, 1942

Air an latha seo, air sgàth na deighe, bha aig a' chonbhoidh ri seòladh na b' fhaisge air Ceap a Tuath Nirribhidh. B' e an Ceap a Tuath an t-àite a b' fhaide tuath air mòr-thìr na Roinn Eòrpa agus airson nan conbhoidhean an t-àite a b' fhaisge air raon-laighe Banak far an robh an Luftwaffe.

Bha deagh aimsir ann tràth madainn Diciadain. Thàinig a' chiad ionnsaigh-adhair aig 03:20. Gu h-iongantach, cha d' fhuair na Gearmailtich cothrom milleadh a dhèanamh anns an ionnsaigh. Ach an dèidh seo, airson deich uairean a thìde eadar 11:15 agus 21:00, thàinig sual an dèidh suail de bhomairean-daibhidh agus bomairean-torpedo. Bha an dà bhuidheann seo a' co-obrachadh a' feuchainn ri bàtaichean-marsantachd a thagh iad ro làimh a chur gu grunnd na mara.

Heinkel aig Port-adhair Banak, Nirribhidh an Giblean1941

31

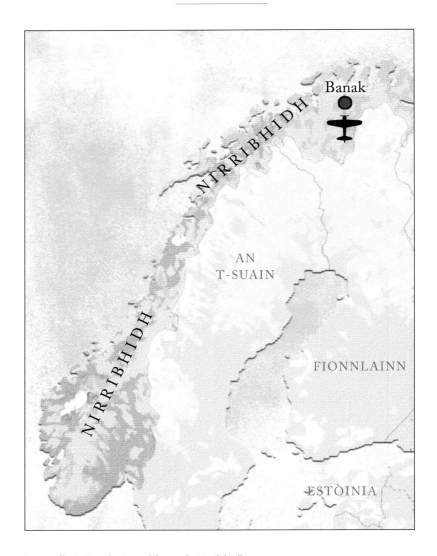

Port-adhair Banak air taobh-tuath Nirribhidh

Bhiodh na bomairean-torpedo ag iadhadh a' chonbhoidh agus na bomairean-daibhidh a' sreap suas os cionn a' chonbhoidh, gam falach fhèin àrd anns na sgòthan. Ged a bha an Cabhlach Rìoghail a' faicinn air na sgrionaichean ràdar aca far an robh na plèanaichean, bha an Luftwaffe a-mach à rainse gus an tigeadh iad còmhla ann an aon ionnsaigh. An uair sin, thigeadh spreadhadh de threasairean agus shligean bho Chonbhoidh PQ16 a bha na uabhas. Bha na milleadairean air ais 's air adhart a' cur fhrasan meatailt suas dhan adhar nam balla-dìon. Bha fuaim a' chogaidh air gach taobh – suas agus sìos, leis-bhòrd agus deas-bhòrd. Seo mar a mhìnich oifigear-rèidio air an SS *Atlantic* fuaim gunnaichan nan crùsairean:

> One of the cruisers fired its 150mm (six-inch) guns straight over us, and the ear-shattering 'crack' had to be experienced to be believed. It shook a lot of rust out of hidden spaces.

Gu mì-fhortanach, bha call bhàtaichean ann. Agus b' e aon dhiubh an SS *Lowther Castle*. Dh'inns Roy Dykes a bha air bòrd HMS *Honeysuckle* mun tachartas[19] seo:

> The *Lowther Castle* was hit in the bow by an aerial torpedo and it slowed it down slightly. Then it became the target for dive bombers and it was hit. The crew abandoned ship and we rescued them. We had to put what was called a sea boat down – that's a small dinghy – to pick them up, even though they had their own life boats. But one that was missing in the crew was the captain. And so, with our own dinghy in the water we went to try and find him round the starboard side of the ship.
>
> We found him clinging to the falls of the ship – the ropes which come from the davits and lowers the lifeboat into the sea – he was clinging to these falls (with his arms wrapped around them) and he was so frightened that he wouldn't listen to us. We tried to get him to swim a matter of a few yards to our dinghy

but he wouldn't do it. He must have been so traumatised as a result of that morning's attacks, and witnessing the destruction of the *Empire Lawrence* without trace on his port side and the attack on the *Empire Purcell* to starboard of him. The captain took no notice of our pleas to help save him.

The ship was on fire and gradually heeling over. We were bombed. We were machine-gunned. The lifeboats were machine-gunned. But in the end, we were recalled to my ship which was HMS *Honeysuckle* because it was getting dangerous, very dangerous. And we were about ten miles astern of the convoy, so we were isolated completely – on our own. So we had to leave him. We had no choice because of the danger to *Honeysuckle*. As we left, the *Lowther Castle* turned turtle, rolled over, and sank with the captain still holding on to the falls.

A-mach à criutha de 65 chaidh gach duine a shàbhaladh, ach an caiptean.

Bha an *Alamar*, am *Mormacsul*, an *Empire Baffin*, an *Empire City of Jolient* agus an *Lowther Castle* air an cur gu grunnd na mara leis na caragothan aca. Chaidh bàtaichean-marsantachd eile a chur nan teine. Rinn iad an gnothach na teintean aca a smàladh, uaireanan le cuideachadh bho bhàta-dìon. A dh'aindeoin a' mhillidh a rinn na teintean orra, ghabh na soithichean sin an t-àite aca ann an colbhan a' chonbhoidh a-rithist 's chùm iad a' gluasad air adhart.

B' e an *Garland*, milleadair on Phòlainn, an aon long anns a' Chabhlach Rìoghail a bha air a bualadh gu dona an latha ud. Spreadh bom faisg oirre a las bomaichean eile a bha fhathast a' tuiteam, agus bha an soitheach air a tolladh le spealgan. Bha na gunnaichean-toisich aice gun fheum agus bha aon ghoileadair innte nach robh ag obair.

Dh'fhalbh an *Achates* ga cuideachadh agus chaidh dotair agus cungaidhean-leighis a chur air bòrd. Chuir an sealladh a chunnaic criutha an *Achates* uabhas orra. Bha 25 seòladairean a chaidh a mharbhadh air an sìneadh a-mach air an deic, agus faisg air 50 a bha leònte. Bha criutha a' *Gharland* ag obair aig peilear am beatha a' feuchainn ris an sgrios a sgioblachadh. Nuair a thàinig an *Achates* faisg, bha aon sheòladair òg a' hòsadh na deic, agus chunnaic iad taobh a' *Gharland* a' tionndadh bho ghlas gu dearg le dath na fala. Chunnaic iad cuideachd, an seòladair òg seo a' togail rudeigin far na deic. B' e na bha air fhàgail de ghàirdean cuideigin a bha ann.

Chùm na h-ionnsaighean bho na bomairean a' dol fad an fheasgair. Bha *Ocean Voice*, soitheach a' chomodoir, air a bualadh agus chaidh i na teine, ach dh'fhuirich i aig toiseach a' chonbhoidh. Rinn an criutha an gnothach air an teine a chur às, rud a thug togail dhan a h-uile duine sa chonbhoidh. Bha gach neach a' cur thairis leis an sgìths.

Thaisbean am bàta Ruiseanach, *Starii Bolshevik*, a treunachd cuideachd. Mu mheadhan-latha an dèidh ionnsaigh bhomairean, thòisich teine cunnartach a bha an impis an carago aice de chonnadh-gunna a chur na smàl. Bha an criutha Ruiseanach, boireannaich agus fireannaich, ag obair gu dripeil airson an teine a mhùchadh.

Bha carago de chonnadh-gunna aig an *Empire Purcell* cuideachd, ach cha robh ise cho fortanach ris an *Starii Bolshevik*. Thuit dà bhom a-steach gu *No. 2 hold* a chuir na teine i, agus aig an aon àm spreadh dà bhom eile. Chaidh haitsean agus sparran suas dhan adhar. Bhris tallan a' bhuncair agus thaom maom-guail dhan toll far an robh na stocairean ag obair. Bha uisge a' dortadh a-steach do sheòmar an einnsein tro phìoban agus bhalbhan sgàinte. Stad na h-einnseanairean am bàta. Bha fios aig a' Chaiptean Stephenson gum faodadh an carago de chonnadh-gunna spreadhadh aig àm sam bith agus le sin thug e seachad an t-òrdugh cùl a chur ris a' bhàta.

Gu mì-fhortanach thuit aon bhàta-teasairginn dhan mhuir air sgàth reòthadh anns na ròpan a bha ga leigeil sìos. Ach, chaidh na seòladairean a bha air an glacadh fon bhàta-theasairginn uile a shàbhaladh. Chaidh sianar eile a mharbhadh nuair a thuit iad dhan t-sàl a bha aognaidh fuar. Bha dithis eile air an call anns a' bhreislich.

Bha aon bhàta-teasairginn eile air an t-soitheach 's chaidh aig a' Chaiptean Stephenson agus oifigearan eile am bàta seo ìsleachadh.

Fhuair iadsan agus cuid den chriutha air falbh mus do spreadh an *Empire Purcell* 'with a stunning explosion'.

Mus do chrìochnaich latha an 27mh, thàinig dà *Heinkel* agus leig iad às torpedo an urra. Chunnaic an conbhoidh seo agus thionndaidh gach bàta, is iad a' feuchainn ri leigeil ris an dà thorpedo ruith seachad orra. Chaidh aon bhàta a chur fodha. Mus deach an dà *Heinkel* dhachaigh bhuail iad soitheach a' chomodoir, an *Ocean Voice*. Cha deach i fodha, ach bha am milleadh cho dona 's gum b' fheudar do Chomodoir Gale smachd a' chonbhoidh a thoirt don Iar-chomodoir, an Caiptean JT Hair, a bha air an *Empire Selwyn*. Cha robh drochaid air fhàgail air an *Ocean Voice*. Ach, a dh'aindeoin gach dùil, chaidh an *Ocean Voice* a shàbhaladh agus ràinig i port còmhla ris a' chonbhoidh.

Cha robh gin de na bàtaichean-dìon aig a' Chabhlach Rìoghail air an call. Ach, bha criutha an *Achates* agus gach bàta eile claoidhte. Bha trì latha eile aca ri dhol mus ruigeadh iad Murmansk agus thuig iad gum feumadh iad peilearan agus sligean a shàbhaladh. Chaidh seo a dhearbhadh nuair a thàinig siognail bhon Escort Commander gum feumadh a h-uile bàta an connadh-gunna aca a chaomhnadh.

Tha aon aithisg a' toirt tuairisgeul air an latha seo bho mhoch gu dubh.[20]

After an air attack which did no harm at 03:20, 27th May, course had to be altered to the south-eastward for a couple of hours to avoid heavy pack ice. At 11:15 there started a series of attacks by a large number of Ju.88s which continued with little respite till 21:30; six merchant ships were lost, and three, in addition to the Garland, suffered damage. The Alynbank recorded attacks by 108 aircraft on this day, and 120 sticks of bombs or torpedoes were heard to explode. The dive bombing attacks were pressed well home from broken cloud at 3,000 feet and the enemy was assisted by an intermittent filmy haze at about 1,500 feet, which made them very difficult to see.

The first casualty occurred at 13:10, when S.S. *Alamar* was hit by two bombs and set on fire; five minutes later the

Mormacsul was damaged by two near misses. Both ships sank at 13:30, survivors being rescued by escort craft. Between 14:05 and 14:10, five direct hits sank the *Empire Lawrence*, and another started a fire in the *Start*[sic] *Bolshevik*, which was successfully fought by her crew for 36 hours: near misses damaged the *Empire Baffin*, O.R.P. *Garland*, and the *City of Joliet*; the latter so badly that she had to be abandoned next morning. Great courage and determination was shown by the smaller escort vessels in rescuing survivors from the ships sunk, though subjected to deliberate heavy dive-bombing while doing so.

Soon after these attacks, ice conditions allowed a more northerly course and at 14:35 Commander Onslow ordered the convoy to steer 060°; there appeared to be more cloud in that direction, and he also hoped that the increased distance from the enemy's airfields would diminish the weight of the air attacks next day.

During the rest of the afternoon there was a lull in the action – except for one ineffective attack by eight Ju.88s – till 19:45, when heavy divebombing recommenced, accompanied by attacks by torpedo aircraft. The *Empire Purcell* was hit by bombs and later blew up, the *Lowther Castle* was torpedoed and sunk, and the Commodore's ship, the *Ocean Voice*, received a direct hit which set her on fire and tore away 20 feet of her side plating abreast No.1 hold within two feet of the water line. Fortunately the sea remained calm. 'I had little hopes of her survival,' wrote Commander Onslow subsequently, 'but this gallant ship maintained her station, fought her fire, and with God's help arrived at her destination.'

There were no further attacks after 21:30 that day; but two Blohm and Voss float planes could be seen ominously circling the horizon. The situation appeared far from rosy. Five ships had been lost. The *City of Joliet* was settling by the bows and the *Ocean Voice* appeared unlikely to remain afloat much longer.

The Garland was so seriously damaged that she was detached later in the evening to make her own way to Murmansk at high speed. 'With another three days to go and 20 per cent of the convoy already lost,' to quote Commander Onslow, 'I felt far from optimistic. The question of ammunition began to worry me badly. I ordered all ships to exercise strict economy and restricted controlled fire in the Ashanli to one mounting at a time. We were all inspired however by the parade ground rigidity of the convoy's station keeping, including *Ocean Voice* and *Start Bolshevik* who were both billowing smoke from their fore holds.

Bha an *Achates* agus an còrr den chonbhoidh gu math taingeil nuair a thuit an ceò, gam falach bhon nàmhaid. Ach ged a bha an ceò na charaid, bha e na chunnart cuideachd. Leis a' cheò bhiodh an ìre-teòthachd a' tuiteam agus dh'fheumadh an criutha a bhith furachail gus nach dèanadh deigh cron air acfhainn no cuideam a' bhàta. A dh'aindeoin gach rud ge-tà, fhuair an criutha beagan cadail. Cha b' urrainn don Luftwaffe na h-ionnsaighean aca a chumail suas. Bha Diciadain, an 27mh latha den Chèitean, gu bhith seachad. B' e latha gun iochd a bha air a bhith ann.

Diardaoin 28 gu Dihaoine 29 Cèitean, 1942

Cha robh ach aon ionnsaigh ann air an 28mh latha agus cha do thòisich e gu 21:30. Na bu tràithe san latha, chuir an conbhoidh fàilte air trì milleadairean Ruiseanach – an *Grozni*, an *Sokrushilelni*, agus an *Kuibishev* – a bha air tighinn airson an cuideachadh. Chuir seo ri cumhachd AA (Anti-Aircraft) a' chonbhoidh. Nuair a thàinig an Luftwaffe loisg na Ruiseanaich orra, a' cur suas balla-casg mòr. Thug seo togail dhan chonbhoidh, agus chuir e eagal air na Gearmailtich. Bha na Ruiseanaich air tighinn ann an deagh àm.

A' dèanamh cinnteach nach dèan   © Mediadrumimages/Royston Leonard
deigh cron air balans a' bhàta

Nuair a dh'fhalbh na bomairean, bha cothrom aig na soithichean sgioblachadh a dhèanamh air an deic agus fon an deic. Chaidh ceasaichean nan sligean a sguabadh tarsainn cliathaich a' bhàta an àite a bhith gan gleidheadh mar bu dual dhaibh – bhiodh e cus feuchainn rin sàbhaladh anns an t-suidheachadh san robh iad. Fon an deic, leis na bha ann de thionndaidhean agus de thulgaidhean an aghaidh ionnsaighean nam bomaichean agus nan torpedothan, bha acfhainn, hòsaichean, agus càbalan sgaoilte air feadh an àite. Cuideachd, thaom rudan pearsanta nan seòladairean às na preasan aca nuair a sgàin na dorsan anns an traghais.

Air an deic, bha an deigh a-nis na laighe gu tiugh agus bha coiseachd a' fàs cunnartach. Dh'fheumadh an deigh a bhith air a spealgadh. Cuideachd, nan laigheadh cus deigh air crainn agus acfhainn a' bhàta, bhiodh balans a' bhàta ann an cunnart. Cha bhiodh an caiptean airson leigeil le cus deigh fàs air a' bhàta airson an adhbhair seo cuideachd. Bha gris shònraichte ann a bhiodh na seòladairean a' suathadh air armachdan agus connadh-gunna gus an dìon an aghaidh reòthadh.

Bha faireachadh na b' fheàrr air feadh a' chonbhoidh an dèidh a' ghlanaidh seo. Bha iad grinn, sgiobalta airson greis co-dhiù.

Ann an uairean beaga na maidne, Dihaoine an 29mh, bha ionnsaigh Ghearmailteach ann. Ach, a-rithist, cha do rinn an Luftwaffe cron air a' chonbhoidh a bha a-nis 140 mìle an ear-thuath air a' Gheodha Kola. Air oidhche an 29mh choinnich Caiptean Crombie, a bha os cionn a' Chiad *Minesweeping Flottilla* ann an Kola, conbhoidh PQ16. Bha còig bàtaichean eile na chuideachd a bha a' dol a thoirt dìon do na sia bàtaichean-marsantachd bho PQ16 a bha a' dol gu Archangel anns a' Mhuir Gheal. Bha Archangel a-nis saor o dheigh agus fosgailte do na soithichean sin.

6

CALA FA-DHEÒIDH

Disathairne 30 agus Latha na Sàbaid 31 Cèitean, 1942

Air an dà latha mu dheireadh den Chèitean 's PQ16 a' dlùthachadh air Murmansk bha ionnsaighean eile ann bho na *Junkers* agus na *Heinkels*. Cha robh iad cho nimheil 's a bha na h-ionnsaighean eile oir bha na Gearmailtich a' leigeil nan torpedothan agus nam bomaichean aca às astar mòr air falbh bho shoithichean PQ16. Cha do bhuail gin dhiubh an targaid. Ach, chaidh aon torpedo gu math faisg air deireadh an *Achates*.

Anmoch oidhche Shathairne, 30 Cèitean bha an conbhoidh air a roinn. Chaidh sia bàtaichean-marsantachd gu Archangel le Caiptean Crombie. Thug Crombie leis am *Martin* agus an *Alynbank* cuideachd. Bha seo na bhuille do Richard Onslow, Comanndair PQ16. Bha e a' call an dà bhàta a bha comasach air na baraillean gunna aca a thogail àrd gu leòr airson losgadh air plèanaichean aig àirde. Le sin dh'fheumadh na bàtaichean-dìon a bha air am fàgail feitheamh gus an tigeadh an Luftwaffe na b' fhaisge, agus ann an rains gunnaichan na b' aotruime.

Cha robh an *Achates* agus an còrr de na soithichean ann am PQ16 fada bhon Gheodha Kola agus Murmansk a-nis. B' e loch fada fasgach a bha anns a' Gheodha. B' ann ann am Bàgh Vaenga, letheach-slighe suas an locha, agus 18 mìle bho Mhurmansk fhèin a bhiodh na soithichean-dìon a' dol air acair. Bha cùram meidigeach airson nan lèontach ann am baile beag Vaenga, ach bha an cùram aig ìre gu math bunaiteach. Air taobh an iar an loch bha Polyarnoe far an robh na Ruiseanaich suidhichte. Bha goireasan fada na b' fheàrr ann an sin.

Bha baile mòr Mhurmansk air ainmeachadh an dèidh Costa Mhurman, seann ainm anns a' chànan Ruisis airson Nirribhidh. Bha eadar a trì is a ceithir mìle de chidheachan ann am Murmansk, ach bha iad air am milleadh leis a' chogadh. Cha robh am baile fhèin ach 113 mìle (182 km) bhon chrìch le Fionnlainn agus 67 mìle (108 km) bhon chrìch le Nirribhidh. Bha Murmansk cho faisg air na Gearmailtich 's gun robh e soirbh dhaibh ionnsaighean a thoirt air a' phort. Chanadh tu gur e campa le hutaichean fiodha sgapte an siud 's an seo a bha ann an Murmansk. Bha togalaichean nas motha de bhreigichean agus concrait ann cuideachd. Air Sràid Stalin, bha togalaichean àrda le sia agus deich làran annta.

Craobhshlighe Stalin, Murmansk anns na 1940an

Diluain, 1 Ògmhios, 1942

Ràinig PQ16 Murmansk mu dheireadh thall, agus ann am faclan Admaral Tovey, Comanndair a' Chabhlaich Dhachaigh, 'beyond expectations'. Bha 27 soithichean a-mach à 35 air an Ruis a ruigheachd – 21 gu Murmansk (30 Cèitean) agus 6 gu Archangel (1 Ògmhios). Air an turas à Innis Tìle, chaidh aon soitheach a chur fodha le bàt'-aiginn U-703, sia le bomairean, agus aon le mèinn. B' fheudar do aon bhàta a thionndadh air ais tràth anns an turas. Thug an nàmhaid 288 ionnsaighean-adhair air a' chonbhoidh seo. Bha Churchill air a ràdh nam faigheadh leth dhiubh troimhe gu sàbhailte gum b' fhiach e. Agus, ged a chaidh 43,205 tunna de shoithichean a chur fodha anns an robh 147 tancaichean, 77 plèanaichean, agus 770 carbadan, fhuair barrachd air trì cairteal de na bàtaichean-marsantachd troimhe. Thug an turas à Innis Tìle mu naoi latha.

B' e baisteadh uabhasach a bha air a bhith ann don chuid bu mhotha air an *Achates*, gu h-àraidh anns na còig lathaichean sin eadar 25 Cèitean agus 29 Cèitean nuair a thàinig sgaoth an dèidh sgaoth de ionnsaighean-adhair, anns an robh seachd bàtaichean-marsantachd air an call.

Ach, ma bha criutha an *Achates* a' sùileachadh fois bho ionnsaighean agus fàilte chridheil bho na Ruiseanaich, bha iad air am mealladh. Bha fhathast cunnart ann bho ionnsaighean-adhair oir bha am port cho faisg air loidhnichean nan Gearmailteach 's gum faodadh iad a thighinn air rèid uair sam bith a thogradh iad. Gu dearbh, air an rathad a-steach eadar Polyarnoe agus Murmansk chunnaic an conbhoidh còig bàtaichean a bha air am milleadh le bomaichean agus a bha a-nis letheach fon uisge – soithichean Breatannach a bha annta gu lèir.

Bha faireachdainn am measg nan seòladairean Breatannach gun robh na Ruiseanaich a' cur suas leotha an àite a bhith dha-rìribh furbhailteach. Seo mar a sgrìobh Alexander Rothney a bha na oifigear rèidio air bàta-marsantachd mu dheidhinn dannsa aig an robh e ann am Murmansk:

We soon sensed we were tolerated rather than welcomed and left. It may have been that the locals were chary of appearing too friendly in case they fell foul of the police. We had heard that Russians suspected of being friendly with foreigners were liable to be arrested and imprisoned.

Bha an fhàilte a fhuair na seòladairean Breatannach bho na Ruiseanaich a' teannadh air nàimhdeas ann am beachd mòran dhaoine. Agus b' iad oifigearan an riaghaltais Ruiseanaich an fheadhainn bu mhiosa. A latha 's a dh'oidhche bha freiceadan le gunnaichean timcheall nan docaichean gus nach biodh coluadar sam bith eadar na seòladairean agus muinntir an àite.

Nuair a bha cothrom aig na seòladairean Breatannach gluasad a-mach às na docaichean dhan bhaile fhèin dh'fheumadh iad na leabhraichean-pàighidh a shealltainn do na geàrdan. Bhiodh na freiceadan ag amas nan gunnaichean aca air na seòladairean fhad 's a bha iad a' dèiligeadh riutha.

B' iad eucoraich, prìosanaich phoilitigeach, agus boireannaich an luchd-obrach air a' chidhe agus timcheall nan docaichean. Bha na boireannaich air leth sgileil ann an ribheatadh, càradh bhàtaichean, agus pleiteadh, ged nach aithnicheadh neach gur e boireannaich a bha annta air sgàth an sgeadachaidh agus an neirt.

Ann am baile Mhurmansk fhèin cha robh mòran a' dol. Bha na taighean fiodha gruamach agus bunaiteach gun bhrèaghdas sam bith mun timcheall. Cha tug e fada gus an do chuir na seòladairean Breatannach margaidh dhubh air dòigh 's iad a' reic rudan 'sòghmhor' a cheannaich iad bho NAAFI a' bhàta – toitean, siabann, bàraichean seòclaid (no 'nutty' mar a bha aig na seòladairean air). Bha iad sin air an reic airson phrìsean gun tùr. Chan fhaigheadh na 'fir-gnothaich' Bhreatannach mòran na b' fhaide air geataichean nan docaichean mus biodh iad air an cuairteachadh le clann a bha ag obair mar 'go-betweens' anns a' mhargaidh dhubh sin.

Ged a bha fèill air na rudan 'sòghmhor', bha na bha ann de bhiadh làitheil air bòrd an *Achates* a' crìonadh. Bha seo air sgàth 's gun deach cuibhreann mòr de na stòran aca ithe leis an fheadhainn a thàrr às lem beatha bho na bàtaichean a chaidh fodha. Le sin, bha criutha an *Achates* gu math tric air am biathadh le aran dubh agus feòil iac.

Bha aon rud gu sònraichte a' cur cais air na seòladairean ann am Murmansk. Bha iad air am beatha a chur ann an cunnart a' tighinn leis a' bhathar airson nan Ruiseanach, 's a-nis bha iad a' faicinn nan Ruiseanach a' droch-làimhseachadh a' bhathair sin nuair a bha iad ga thogail à tuill nam bàtaichean.

Ach, is dòcha gum bu chòir beagan truais a bhith againn don luchd-obrach Ruiseanach nuair a thuigeas sinn an suidheachadh aca. Bha boireannaich ri fhaicinn anns a h-uile h-àite agus b' iadsan na docairean airson a' mhòr-chuid. Le sioftaichean de 24 uairean a thìde air agus 24 uairean a thìde dheth, bha na h-uairean-obrach aca borb. Ged a bha fìreannaich ann, cha b' iad an fheadhainn a b' fhallaine, oir bhiodh gach fear a bha deas airson cogadh air a dhol a shabaid aig a' front. Bha mòran de na docairean ann an sin an aghaidh an toil agus bha an t-acras gan tolladh. Bha aon sgeulachd ann gun deach docair a ghlacadh ag ithe bho chnagan feòla a sgàin nuair a thuit e a-mach à lìon-charago. Rug geàrd air is thug e gu cùl cruach bathair e agus chuir e peilear ann. Is beag an t-iongnadh gun robh na seòladairean a' faireachdainn gun robh Murmansk na àite gruamach, fuar. Bha an luchd-còmhnaidh uile a' cosg chòtaichean-bèin agus churraicean-bèin air sgàth an fhuachd agus an t-sneachda.

Ach, a dh'aindeoin an taobh seo dheth, bha a' mhisneachd agus oidhirpean nan Ruiseanach an aghaidh nan Gearmailteach ionmhalta. Chùm iad an rèile eadar Archangel, Murmansk, agus Mosgo fosgailte an aghaidh ionnsaighean nimheil nan Nàsach. Ann an cuid de dh'àitean bha an rèile mu leth-cheud mìle bhon front a bha ruith tarsainn crìochan na Fionnlainn, agus bha na Gearmailtich 2:1 na bu làidire. Cho luath 's a bha ionnsaigh-adhair air an rèile seachad, thigeadh buidhnean-càraidh agus chuireadh iad an trac air dòigh a-rithist agus le sin chùm am bathar a' gluasad gu deas.

Ann am beachd mòran de na seòladairean b' iad Murmansk agus Archangel na puirt bu lugha orra. Bha a' ghruaim, am mì-dhòchas, an t-amharas, a' choirbteachd, agus a' mhì-thaingeileachd gam fàgail mar àitean gun toileachas.

Seo mar a chuir Calum MacLeòid à Carlabhagh, Eilean Leòdhais na faireachdainnean aige ri chèile ann an earrann bhon phìos bàrdachd a sgrìobh e:[21]

The Scapa – Kola Inlet Run: 1942

But Russia is not the place for succour or advice,
Its disregard for pain and life is Stalin's harsh device,
In the history of warfare no country persevered,
With an ally so suspicious, tactless and austere.

Polyarno is their naval base, a safe and sheltered port,
But our exhausted escortmen are barred from this resort,
Instead disquietly we are forced to bleak cold Rosta Bay,
Or to the loathsome Vaenga where the escort oiler lay.

Air an t-slighe gu co-fharpais iomraidh, Murmansk. Air a thogail bho dheic an *Achates*. (À cruinneachadh teaghlach Bean)

46

Co-fharpais iomraidh, Murmansk. Air a thogail bho dheic an *Achates*.
(À cruinneachadh teaghlach Bean)

Bha aon rud a thog inntinn seòladairean a' Chabhlaich Rìoghail ge-tà, agus b' e sin na regattathan far an robh criuthaichean bho na diofar longan ag iomradh an aghaidh a chèile. A latha 's a dh'oidhche bhiodh na criuthaichean a' geurachadh nan sgilean agus nan amanann aca anns na bàtaichean-iomraidh. Anns a' cho-fharpais seo thàinig an *Achates* gu math faisg air buannachadh agus bha an Caiptean A.H.T. Johns fhèin a' gabhail pàirt mar chocsan an sgoth-iomraidh.

Bha cur-seachadan eile mar bhall-coise, agus consairtean air siostam SRE (Sound Reproduction Equipment) a' bhàta a' cumail nan criuthaichean a' dol. B' e cèilidh air rèidio an t-soithich a bha anns na consairtean le sgeulachdan èibhinn, òrain, bàrdachd, agus eirmseachd. Bha na h-òrain gu tric stèidhichte air rudan a thachair o chionn ghoirid.

7

A' FÀGAIL MHURMANSK

Disathairne, 27 Ògmhios gu Disathairne 4 Iuchar, 1942

Dh'fhàg an *Achates* Murmansk air 27 Ògmhios, faisg air mìos an dèidh ruigheachd. Bha iad a' tilleadh a-nis mar phàirt den dìon aig conbhoidh QP13 anns an robh 35 soithichean. Bha na bàtaichean airson a' chuid bu mhotha a' tilleadh falamh, ach na bàtaichean Sòbhieteach a bha a' giùlan fiodh. Bha na soithichean ann an QP13 a' tilleadh don Rìoghachd Aonaichte, no gu Innis Tìle, no gu Ameireaga a Tuath.

Sheòl an conbhoidh à Murmansk aig an aon àm agus a dh'fhàg PQ17 Breatainn. Bha an Admiralty a' smaoineachadh gun dèanadh an dà chonbhoidh feum den fheachd-dìon làidir a bha aig PQ17: HMS *Victorious* (soitheach-giùlain phlèanaichean); an long-chogaidh *Duke of York*; na crùsairean *Cumberland* agus *Nigeria*; na milleadairean *Ashanti, Douglas, Faulknor, Mame, Onslaught* agus *Onslow*; an long-chogaidh Ameireaganach USS *Washington*; agus na milleadairean Ameireaganach *Mayrant* agus *Rhind*. Bha PQ17 fo chomannd Admaral Iain Tovey anns a' phrìomh-long *Duke of York*.

Cha robh am feachd-dìon aig QP13 cho làidir: an soitheach ana-phlèanaichean *Alynbank*; na milleadairean *Achates, Garland, Inglefield, Intrepid*, agus *Volunteer*; na bàtaichean-sguabaidh mhèinnichean *Hussar* agus *Niger*; agus na corbhaitean *Honeysuckle, Hyderabad, Roselys* agus *Starwort*.

Bha an t-sìde sglomach air an turas air ais a Bhreatainn agus ghlèidh seo an conbhoidh bho ionnsaighean an nàmhad. Cuideachd, bha cothrom aig QP13 cùrsa na b' fhaide tuath a ghabhail na ghabh PQ16 air an rathad a-steach oir bha na beanntan-deighe air crìonadh anns a' bhlàths. Ach, air sgàth is gun robh iad na b' fhaide tuath, bha iad air iomall a' chip-deighe phòlaraich agus bha lathaichean ann far an robh beanntan-deighe agus raointean-deighe gan cuairteachadh agus b' ann gu slaodach a chaidh iad tromhpa. Bha an cùrsa ùr aca fàbharach ge-tà, oir bha iad na b' fhaide air falbh bho raointean-laighe nan Gearmailteach ann an ceann a tuath Nirribhidh.

Gu math tric bhiodh aig na soithichean a bha a' tilleadh a Bhreatainn ri seòladairean bho bhàtaichean a chaidh a chall a thoirt dhachaigh. Bha cuid de chriutha HMS *Edinburgh* air an *Achates*. Bha an *Edinburgh* a' tilleadh dhachaigh le 465 ungannan de dh'òr ann an 93 bogsaichean fiodha nuair a chuir trì milleadairean Gearmailteach às dhi faisg air Bjørnøya (Bear Island) air 2 Cèitean, 1942. Bha £70 millean de luach anns a' charago aice – pàirt den phàigheadh airson a' bhathair-chogaidh a bha na conbhoidhean a' giùlan dhan Ruis.

A bharrachd air seòladairean bho HMS *Edinburgh*, bha oifigearan bho arm na Ruis air bòrd an *Achates*, agus cù Ruiseanach a bha an criutha air fhaighinn air dòigh air choreigin fhad 's a bha iad ann am Murmansk. B' e Timoshenko an t-ainm a thug iad air a' chù, an dèidh aon de na seanailearan Ruiseanach iomraiteach. Gu mì-fhortanach, ann am muir garbh chaidh Timoshenko thairis air cliathaich a' bhàta. Chuir seo an criutha fo bhròn. Chuala na h-oifigearan Ruiseanach gun robh Timoshenko marbh agus thuit iadsan fo bhròn cuideachd. Ach, shaoil iadsan gur e an seanailear fhèin a bhàsaich agus thòisich iad ag òl deoch an dèidh deoch de vodka mar urram dha. Thug e greis mus do thuig iad gur e Timoshenko an cù a fhuair bàs is nach b' e Timoshenko an seanailear.

Bha beagan spòrs a' dol air an *Achates* gus ceangal na bu dhlùithe a dhèanamh eadar na Ruiseanaich agus na h-oifigearan. Dh'atharraich na Breatannaich na h-ainmean aca gus am biodh blas Ruiseanach orra. Bha *Peyton Jones* a-nis *Peytonovich Joneski*, *Eric Marland Erico Marlandovitch*, agus *James MacFarland Jameski Macfarlandochov*. Bha ainm 'Ruiseanach' nan oifigearan air na racaisean-litreach aca anns a' *wardroom* agus nuair a thill an *Achates* a Bhreatainn, chunnaic aon den luchd-naidheachd a thàinig air bòrd seo agus ann am beagan ùine bha an sgeulachd anns na pàipearan-naidheachd.

Bha an turas dhachaigh aig HMS *Achates* ann an QP13 gun mhòran dragh oir b' e ro-innleachd an Kriegsmarine (Càbhlach na Gearmailt) ionnsaighean a thoirt air na conbhoidhean a bha a' giùlan bathar dhan Ruis seach an fheadhainn fhalamh a bha a' tilleadh dhachaigh às an Ruis. Ach thachair rud uabhasach do chonbhoidh QP13 air 5 Iuchar gun nàmhaid a bhith faisg. Thuit ceò agus le lèireas truagh smaoinich am bàta-sguabaidh mhèinnichean HMS *Niger* gur e Ceap Iar-thuath Innis Tìle a bha ann am beinn-deighe. Lean sia bàtaichean marsantachd i a-staigh dhan raon-mhèinnean Northern Barrage SN72 a bha aig beul Caolas na Danmhairg, tuath air Innis Tìle, agus bhuail gach aon dhiubh mèinn. Cha tàinig beò à HMS *Niger* ach ochdnar a-mach à 127. Chaidh na bàtaichean-marsantachd *Hybert*, *Rodina*, *Hefron*, *John Randolph*, agus *Massmar* fodha, agus cha robh ach an *Exterminator* air a shàbhaladh a-mach às na sia bàtaichean-marsantachd a bhuail mèinn. Chaidh 172 anam a chall.

Cha b' urrainn a ràdh, ge-tà, gun d' fhuair PQ17 bhòidse a bha gun dragh. Sheòl an conbhoidh seo à Hvalfjord, Innis Tìle air 27 Ògmhios. Bha e a' dèanamh air Archangel oir bha Murmansk a-nis air a dhroch mhilleadh air sgàth ionnsaighean-adhair. Air 3 Iuchar, fhuair QP13 agus PQ17 rabhadh nach robh an *Tirpitz* aig acair tuilleadh air taobh tuath Nirribhidh. Bha an Admiralty den bheachd gun robh i a' dol a dh'fheuchainn air PQ17 agus QP13. Chuir seo eagal am beatha air gach neach ann an QP13. B' e an *Tirpitz*, agus a piuthar am *Bismarck*, an dà long-chogaidh bu chumhachdaiche anns an Kriegsmarine. Chuireadh i eagal air bàta sam bith leis na

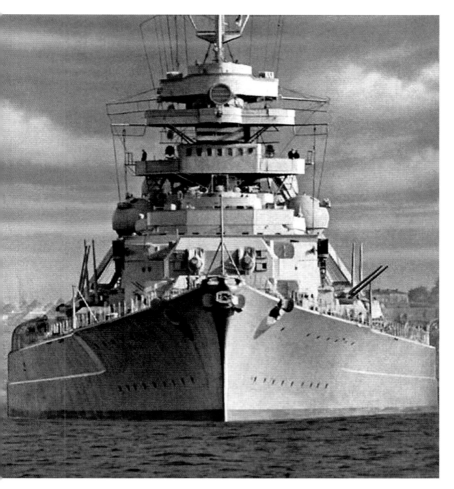

Tirpitz, soitheach-cogaidh anns an Kriegsmarine

h-ochd gunnaichean mòra 15" aice agus astar de 30 knots (35mph) innte.

Air sgàth na naidheachd mun *Tirpitz*, thug Comanndair QP13 an t-òrdugh seachad gun robh na milleadairean rin gluasad gu 'Action Stations' agus eacarsaich a dhèanamh le torpedothan. Anns an eacarsaich seo, rachadh iad aig àrd an astair a' dèanamh air an fhàire, agus an uair sin thionndaidheadh iad còmhla a' tilleadh air ais fo chòmhdach ceò a rinn iad dhaibh fhèin agus dhan chonbhoidh. Mar a thachair, cha robh aig QP13 obrachadh mar sin an aghaidh an nàmhad. Ach, b' e sgeul eadar-dhealaichte a bha ann airson PQ17.

Disathairne 4 Iuchar, an dèidh òrdugh an dèidh òrdugh fhaighinn tron latha bhon Admiralty, fhuair PQ17 teachdaireachd aig 21:23 air a comharrachadh 'Immediate', ag innse gum bu chòir dha sgaoileadh agus dèanamh air puirt Ruiseanach. Aig 21:36 chuir an Admiralty teachdaireachd eile a-mach 'Most Immediate' ag iarraidh air a' chonbhoidh sgapadh. Ach an rud a dh'adhbhraich strì agus droch-fhaireachdainn an dèidh làimh, b' e gun do dh'iarr an Admiralty air na soithichean dìon gluasad air falbh bhon chonbhoidh (agus ann am beachd an Admiralty air fabh bhon *Tirpitz*). Le sin, bha aig na bàtaichean-marsantachd ri sgapadh gun dìon sam bith gu bhith aca.

Cha do nochd an *Tirpitz*. Ach, nochd plèanaichean an Luftwaffe agus bàtaichean-U. A-mach às na 35 bàtaichean-marsantachd ann am PQ17, cha d' fhuair troimhe ach 11. Chaidh 24 a chall 's iad a' giùlan 70,000 tunna de charago anns an robh 400 tanc, 200 plèan, agus 3,300 carbad. Bha an sgrios seo a' sealltainn cho doirbh 's a bha e bathar fhaighinn troimhe ann an lathaichean fada agus oidhcheannan soilleir an t-samhraidh. Shoirbhich leis na Gearmailtich cuideachd air sgàth 's gun robh iad air siognailean nam Breatannach a bhriseadh. Bha mòran anns a' Chabhlach Rìoghail a bha air an uabhasachadh gun deach na bàtaichean-marsantachd fhàgail aig na Gearmailtich mar luchan am measg cruinneachadh de chait acrach.[22]

52

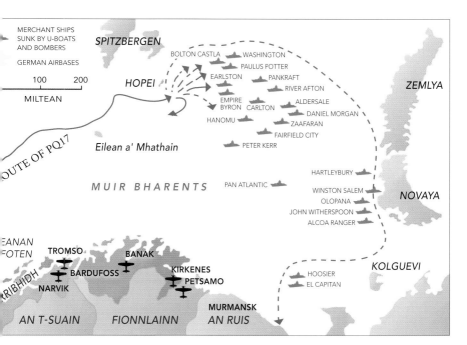

MERCHANT SHIPS
SUNK BY U-BOATS
AND BOMBERS

GERMAN AIRBASES

100   200

MILTEAN

SPITZBERGEN

HOPEI

Eilean a' Mhathain

MUIR BHARENTS

ZEMLYA

NOVAYA

KOLGUEVI

BOLTON CASTLA   WASHINGTON
PAULUS POTTER
EARLSTON   PANKRAFT
RIVER AFTON
EMPIRE
BYRON   CARLTON   ALDERSALE
DANIEL MORGAN
HANOMU   ZAAFARAN
FAIRFIELD CITY
PETER KERR

PAN ATLANTIC   HARTLEYBURY
WINSTON SALEM
OLOPANA
JOHN WITHERSPOON
ALCOA RANGER

ROUTE OF PQ17

EANAN
OTEN

RRIBHIDH

TROMSO
BARDUFOSS
NARVIK

BANAK

KIRKENES
PETSAMO

HOOSIER
EL CAPITAN

MURMANSK
AN RUIS

AN T-SUAIN   FIONNLAINN

Nuair a sgap PQ17, rinn Bàtaichean-U agus plèanaichean Gearmailteach sgrios uabhasach

Dealbh-taisgealaidh Gearmailteach de PQ17

Le cead bho Naval History & Heritage Command: Photo Section, Photo NH 71382

Bàtaichean-sàbhalaidh bhon t-soitheach Aimeireaganach *Carlton* a bha ann an PQ17 agus air a torpedothadh 5 Iuchair 1942

Le cead bho Naval History & Heritage Command: Photo Section, Photo NH 71305

Soitheach-carago ann am PQ17 a chaidh a chur fodha le bàta-U

Le cead bho Naval History & Heritage Command: Photo Section, Photo NH 71303

Clàr de shoithichean ann am PQ17 agus na thachair dhaibh

NAME	NATIONALITY	FATE
Alcoa Ranger	United States	Sunk by U-255*
Aldersdale	Royal Fleet Auxiliary	Damaged by aircraft Sunk by U-457*
Azerbaidjan	Soviet Union	Damaged; reached port safely
Bellingham	United States	Reached port safely
Benjamin Harrison	United States	Reached port safely
Bolton Castle	United Kingdom	Sunk by aircraft*
Carlton	United States	Sunk by U-88*
Christopher Newport	United States	Damaged by aircraft Sunk by U-457*
Daniel Morgan	United States	Damaged by aircraft Sunk by U-88*
Donbass	Soviet Union	Reached port safely
Earlston	United Kingdom	Damaged by aircraft Sunk by U-334*
El Capitan	Panama	Damaged by aircraft Sunk by U-251*
Empire Byron	United Kingdom	Damaged by aircraft Sunk by U-703*
Empire Tide	United Kingdom	Reached port safely
Exford	United States	Damaged by ice, turned back
Fairfield City	United States	Sunk by aircraft*
Grey Ranger	Royal Fleet Auxiliary	Damaged by ice; reached port safely
Hartlebury	United Kingdom	Sunk by U-355*
Honomu	United States	Sunk by U-456*
Hoosier	United States	Damaged by aircraft Sunk by U-376*
Ironclad	United States	Reached port safely
John Witherspoon	United States	Sunk by U-255*

Navarino	United Kingdom	Sunk by aircraft*
Ocean Freedom	United Kingdom	Reached port safely
Olopana	United States	Sunk by U-255*
Pan Atlantic	United States	Sunk by aircraft*
Pan Kraft	United States	Sunk by aircraft*
Paulus Potter	Netherlands	Damaged by aircraft Sunk by U-255*
Peter Kerr	United States	Sunk by aircraft*
Rathlin	United Kingdom	Reached port safely
Richard Bland	United States	Ran aground, towed back to port
River Afton	United Kingdom	Sunk by U-703*
Samuel Chase	United States	Reached port safely
Silver Sword	United States	Reached port safely
Troubador	Panama	Reached port safely
Washington	United States	Sunk by aircraft*
West Gotomska	United States	Developed engine trouble, returned to port
William Hooper	United States	Damaged by aircraft Sunk by U-334*
Winston-Salem	United States	Ran aground, abandoned and later recovered
Zaafaran	United Kingdom	Sunk by aircraft*
Zamalek	United Kingdom	Reached port safely

(*Air an cur fodha)

8

COMODOIREAN NAN CONBHOIDHEAN

Os cionn nam bàtaichean-marsantachd ann an conbhoidh bha comodoir, agus bha e na dhleastanas air comodoir, ann an co-bhoinn ris a' Chabhlaich Rìoghail, modhan-obrach a chur air dòigh airson a' chonbhoidh. Le sin, bhiodh coinneamh air a ghairm eadar an comodoir, na caipteanan, agus na h-oifigearan-siognailidh às na bàtaichean-marsantachd ro thoiseach gach conbhoidh.

Am measg nan 181 comodoirean bha 11 admaralan, 33 iar-admaralan, 53 admaralan-deiridh, agus 13 caipteanan. Ge bith dè an ìre a bha iad air ruigheachd ron chogadh, bha iad uile air ainmeachadh mar Commodores Royal Naval Reserve agus bha iad fo ùghdarras an Escort Force Commander on Chabhlach Rìoghail.

Bha an comodoir air a chuideachadh leis a' bhuidheann-siognailidh aige fhèin. Bha ceathrar anns a' bhuidheann seo agus bhiodh iad a' cleachdadh lampaichean-siognailidh, brataichean saimeafoir, agus teileasgopan airson theachdaireachdan a chur agus fhaighinn ann an còd. Bha na leabhraichean còd air an cumail ann am baga le cuideaman air eagal 's gum feumadh iad a bhith air an tilgeil dhan mhuir ann an àm èiginn.

Chaidh 78 conbhoidhean dhan Artaig eadar Lùnastal 1941 agus Cèitean 1945 agus cha bu bheag an cunnart. Bha an t-astar eadar Innis Tìle agus na puirt air taobh tuath na Ruis 2,000 mìle sa gheamhradh, agus 2,300 as t-samhradh. As t-samhradh dh'fhaodadh na conbhoidhean slighe na bu shàbhailte (agus na b' fhaide) a ghabhail oir bhiodh an deigh na b' fhaide tuath. Sa gheamhradh bha na bàtaichean a' gluasad ann an leth-sholas eadar 08:00 agus 15:00. As t-samhradh cha mhòr nach robh e soilleir airson 24 uairean a thìde gach latha. Le sin, bha deagh chothrom aig an nàmhaid ionnsaigh a thoirt air conbhoidh. Airson 1,400 mìle den t-slighe bha cunnart ann bho ionnsaighean-adhair; airson 2,000 mìle den t-slighe bha cunnart ann bho bhàtaichean air uachdar na mara; agus fad na tìde bha cunnart ann bho bhàtaichean-U. Bha an strèan air criuthaichean na bu mhiosa as t-samhradh leis na lathaichean fada. Sa gheamhradh, ge-tà, bha fuachd a bhiodh cho ìosal ri -20° C a' toirt dhùbhlain eile do na criuthaichean.

Bha uallach na conbhoidhean a dhìon air a' Chabhlach Rìoghail. Mar bu trice bha barrachd shoithichean nèibhidh anns na bàtaichean-marsantachd agus ged nach fhaiceadh an conbhoidh ro thric iad, bha bàtaichean-aiginn a' Chabhlaich Rìoghail ann cho math ris na longan-cogaidh air uachdar na mara. Ma bha obair dhoirbh aig Comanndair a' Chabhlaich Rìoghail an conbhoidh a dhìon, bha obair a cheart cho doirbh aig Comodoir a' Chonbhoidh na bàtachean-marsantachd a chumail còmhla gu sàbhailte.

Bha mòran de na comodoirean air an dreuchd a leigeil dhiubh ron chogadh. Ach a-nis, air sgàth a' chogaidh, thill iad gus cuideachadh a thoirt dhan dùthaich. B' e caiptean no 'flag officer' bhon Chabhlach Rìoghail no bhon Chabhlach Rìoghail Ghlèidhte a bha sa mhòr-chuid de na comodoirean. Bha ùghdarras agus eòlas-mara aca a bheireadh conbhoidh gu port gu sàbhailte agus ann an àm.

Bha bàta a' chomodoir aig toiseach colbh meadhain a' chonbhoidh agus bha an soitheach aige air a chomharrachadh le bratachag gheal le crois ghorm. Nuair a bha an conbhoidh deiseil airson seòladh, thug an comodoir òrdugh seachad gun robh aig na bàtaichean-marsantachd an t-àite aca a ghabhail anns a' cholbh – àite a bha air a thoirt dhaibh aig a' choinneimh air tìr ro làimh. B' e gluasad dùbhlanach a bha seo airson gach bàta-marsantachd. Dh'fhaodadh gum biodh ficheadan de bhàtaichean a' cuairteachadh a chèile a' feuchainn ri gluasad dhan àite aca anns na colbhan. B' e cumadh a' chonbhoidh sreathan farsaing agus colbhan goirid. An dèidh dhaibh seòladh a-mach às an loch no am fjord, agus iad air a' chuan mhòr, bhiodh an comodoir fhathast a' maoidheadh orra an cumadh seo a ghleidheadh.

Bheireadh an RAF dìon-adhair dhan chonbhoidh airson greis le plèanaichean a bha suidhichte air tìr. Bha na ciad lathaichean aig muir mar bu trice sìtheil agus bheireadh seo cothrom dhan Chomodoir eacarsaichean a dhèanamh. Chleachdadh e feadan-smùide no brataichean siognailidh tron latha agus solais dhathte tron oidhche gus òrdain a thoirt seachad. Is dòcha gun iarradh e air a' chonbhoidh tionndaidhean-èiginn a dhèanamh, no tòiseachadh air siog-sagadh, no cùrsa agus astar atharrachadh. Chumadh e na bàtaichean-marsantachd ris na h-eacarsaich seo gus an robh e cinnteach gun robh an conbhoidh comasach air dèiligeadh ri èiginn sam bith a thigeadh an rathad.

Bha e an urra ris a' chomodoir an conbhoidh a chumail ri chèile ge bith dè thachradh. Agus, cha b' e rud furasta a bha sin ann am breisleach a' chogaidh le rocaidean-rabhaidh a' dol dheth an siud agus an seo; gleadhraich nan depth-charges; meallan-uisge a thigeadh an dèidh spreadhadh; agus losgadh nan gunnaichean mòra a bha coltach ri dealanaich is tàirneanaich.

A bharrachd air na rudan sin, bha aig a' chomodoir ris a' chonbhoidh a stiùireadh gu mion-cheart air a' chùrsa gu Murmansk agus sin gu tric ann an droch shìde le ceò agus confhadh fairge. Dh'fhaodadh an droch shìde maireachdainn lathaichean no fiù 's seachdainnean. Ruigeadh na bàtaichean-marsantachd an caladh mu dheireadh thall agus anns a' cumadh conbhoidh a thugadh dhaibh aig toiseach na bhòidse. Bha na beàrnan a chaidh fhàgail leis na soithichean a chaidh a chur fodha air an dùnadh suas. Bhiodh am bathar-cogaidh air an robh droch fheum – plèanaichean, tancaichean, làraidhean, carbadan, connadh-gunna, agus ola – air a lìbhrigeadh. Bha an lìbhrigeadh sin gu mòr an urra ri sgil agus eòlas nan comodoirean agus chaill mòran dhiubh am beatha a' toirt seirbheis do Bhreatainn agus don Ruis.

B' e Comodoir Robin Aveline Melhuish aon de na laoich a bha os cionn nan Conbhoidhean Artach. Bha eachdraidh Robin Melhuish agus an ceangal aige ris a' mhuir a' dol air ais bliadhnaichean mòra gu 1900 nuair a bha e 14 bliadhna a dh'aois. Thòisich e air HMS *Worcester*, bàta-fiodha a chaidh a thogail ann am meadhan na 19mh linn agus a bha airson greis mhòr na colaiste air Abhainn Mhersey.

Bha an luchd-teagaisg air bòrd HMS *Worcester* – an Caiptean, na h-oifigearan agus na fo-oifigearan – bhon Chabhlach Rìoghail agus bhon Chabhlach Mharsantachd. Bhiodh na cuspairean acadaimigeach air an lìbhrigeadh le luchd-teagaisg sìobhalta. Bha sia clasaichean ann le 30 oileanach anns gach clas agus bhiodh cìs £62.75 gach bliadhna air an àrd-chlas agus £57.75 air a' bhun-chlas. Choisinn Robin iomadh duais anns an dà bhliadhna gu leth a bha e ann. Airson Duais Maraireachd fhuair e atlas cho mòr is gann gum b' urrainn dha a thogail ach a bha làn de mhion-fhiosrachadh. Fhuair e cuideachd bonn bhon Royal Meteorological Society ann an 1900 airson na h-aiste a b' fheàrr air eòlas-sìde a' Chuain Innseanaich.

Bha HMS *Worcester* math air òganaich a thrèanadh agus fhuair neach iomraiteach no dhà an trèanadh an sin. Mar eisimpleir, chaidh Admaral Togo agus Leifteanant H R Bowers ann mar oileanaich. Choisinn Togo cliù ann an 1905 aig Blàr Tsushima nuair a chaidh 21 long-chogaidh Ruiseanach a chur fodha le Cabhlach Ìmpireil Iapan. Thuirt e mu dheidhinn nan lathaichean aige air *Worcester* gun d' fhuair e teagasg ann an sin air 'how to behave as an English gentleman'.

Comanndair Robin Aveline Melhuish

Bhàsaich Leifteanant Bowers còmhla ris a' Chaiptean Scott air an turas mu dheireadh aige dhan an Antartaig ann an 1912.

An dèidh beagan bhliadhnaichean còmhla ri buidhnean-loingeis Breatannach, chaidh Robin Melhuish dhan Royal Indian Marine (RIM) ann an 1906 na Fho-leifteanant. Bha eachdraidh an RIM a' dol air ais dhan 17mh linn nuair a chaidh 'the Honourable Company of the Merchants Trading to the East Indies' a stèidheachadh ann an 1601 tro Bhann-sgrìobhte Rìoghail Banrigh Ealasaid. (Cha robh am facal 'Honourable' anns an tiotal freagarrach ann am beachd cuid air sgàth 's mar a bha an companaidh ga ghiùlan fhèin ann an gnìomhachas.) Anns an 18mh agus an 19mh linn ge-tà choisinn an RIM cliù ann an suirbhidheadh mara. Cha robh an leithid ann. Rinn an RIM obair-suirbhidh eadar costa Afraga an Ear agus Cuantan Shìona a Tuath agus bho Shuez gu Tasmàinia. Tha ainmean nan oifigearan-maraireachd air na rubhannan, na h-aibhnichean, baghan, geodhan, caolasan, agus calaidhean air feadh nam marannan an ear.

Bha Robin math air obair-suirbhidheachd agus ràinig e ìre caiptein ann an 1931 agus bha e ann nuair a chaidh ainm an RIM atharrachadh gu RIN (Royal Indian Navy). Leig e dheth a dhreuchd anns an t-Sultain 1934. Bha e a' teannadh air 50 bliadhna a dh'aois.

Chaidh iarraidh air Melhuish a dhol air ais dhan RIN anns an t-Sultain, 1939 agus rinneadh e na *Aide-de-Camps* Urramach (ADC) do Riaghladair Mhadras sa Mhàrt 1940. Beagan an dèidh sin dh'fhàg e an RIN airson an dàrna turais agus chaidh e dhachaigh a Shasainn. Ann an sin chaidh innse dha le 'two men in grey suits' gun robh feum aig an Royal Naval Reserve air mar chomodoir conbhoidh.

B' e a' chiad obair conbhoidh a bha aig Robin Melhuish a bhith na Iar-chomodoir air SS *Emma Bakke*. Sheòl an conbhoidh seo anns an robh 28 soithichean à Liverpool air 29 Cèitean, 1942 a' dol a ruige Boston. Air an t-slighe chaidh an *Queen Mary* seachad orra 's i a' seòladh leatha fhèin gu ruige Liverpool. Cha deach an *Queen Mary* no an *Queen Elizabeth* a-riamh còmhla ri conbhoidh. Bha na soithichean sin comasach air 30 knots (34.5mph) a dhèanamh agus le sin cha robh iad ann an uiread de chunnart bho bhàtaichean-U nam bhiodh iad a' seòladh aig 10 knots (12mph) ann an conbhoidh.

B' e 'Operation Torch' an ath chonbhoidh air an robh Robin Melhuish, agus a rèir aithrisean b' e sin an armada bu mhotha a chunnacas riamh. Bha Melhuish air àrdachadh gu comodoir air a' chonbhoidh seo is e air SS *Narkunda*, soitheach le loidhne-loingeis P&O. Dh'fhàg iad Cluaidh air 1 Samhain 1942 gus saighdearan agus landing craft a chur air tìr air taobh tuath Afraga. Ràinig iad gu sàbhailte. Air an t-slighe air ais ge-tà, chaidh SS *Narkunda* a chur fodha an dèidh co-dhiù trì ionnsaighean Gearmailteach. Fhuair Melhuish agus a' chuid bu mhotha den chriutha às gu sàbhailte.

Anns an Dùbhlachd 1942, mu mhìos an dèidh dhan *Narkunda* a dhol fodha, chaidh Melhuish a chur gu Loch Iùbh. Bha e ri bhith na chomodoir air JW51B, conbhoidh le 14 soithichean. Chaidh bratachag a' chomodoir a chur air an SS *Empire Archer*, bàta-carago le 7,000 tunna de chuideam innte. Bha i a' giùlan 141 làraidh, 18 tancaichean, 21 plèana-cogaidh, agus 4376 tunna de bhathar measgaichte.

Airson caiptean a thug a-mach a cheàrd ann an uisgeachan blàtha a' Chuain Innseanaich, bhiodh an turas seo dhan Artaig aocoltach ri slighe-mhara eile air an robh e. Chanadh seòladair sam bith a bha air conbhoidh dhan Ruis gur e an droch shìde a' chuimhne bu làidire a bha aca – nàmhaid an-iochdmhor a latha agus a dh'oidhche. Gu h-iongantach, b' e Sruth a' Chuain Shiar a Tuath (an Gulf Stream) a bha ag adhbhrachadh na h-aimsir mairbhtich seo. Bha an sruth blàth bhon Mhuir Charaibeach a' coinneachadh ris an deigh agus ri àrd-bhruthadh àile na h-Artaig.

Air sgàth a' choinneachaidh seo eadar Sruth a' Chuain Shiar a Tuath agus àrd-bhruthadh àile na h-Artaig, thigeadh gèiltean brùideil. Mura h-atharraicheadh caiptean cùrsa gus beul a' bhàta a chumail dìreach ris na tuinn mhòra, bhiodh an soitheach air a shlugadh leis na suailichean. Cuideachd, b' e obair dheuchainneach a bha ann faire a chumail air drochaid fhosgailte ann an gèile. Anns an ìre-teòthachd ìosal a bha anns an Artaig, bhiodh innealan a' reothadh gu cruaidh agus dh'fhàsadh an deigh cho tiugh ri 6 oirlich (15cm) no barrachd. Bhiodh crainn, aerialan, agus acfhainn air an còmhdachadh le deigh. Dh'fhàilnicheadh gunnaichean agus tiùbaichean-torpedo mura cumadh an criutha iad saor on deigh. Nuair a sguireadh gèile, dh'fhaodadh gun tigeadh ceò, is bhiodh lèireas air a lùghdachadh gu beagan shlatan. Dh'fheumadh an criutha a bhith furachail. Mura bitheadh, b' e am bàs a bhiodh ann dhaibh.

Dealbh a' sealltainn mar a dh'fhàsadh deigh air soitheach anns an Artaig.[23]
© Mediadrumimages/Royston Leonard

Ach aig a' choinneimh ann an huta fiodha ann an Loch Iùbh mus do sheòl JW51B, chan aithnicheadh duine gun robh gin de na dùbhlain sin a' cur dragh air Robin Melhuish. Bhruidhinn an Caiptean St Vincent Sherbrooke, Comanndair an *Escort Force*, an toiseach 's e a' mìneachadh dha na maighstirean-mara, caipteanan nam bàtaichean-dìon, agus dhan Chomodoir agus a chuideachd na ro-innleachdan a chleachdadh iad nan tigeadh ionnsaigh orra.

An uair sin bhruidhinn Comodoir Melhuish mu na h-òrdain a fhuair an Conbhoidh agus mar a dh'fheumadh gach soitheach an t-àite aice sa chonbhoidh a ghleidheadh. Chuir e nan cuimhne nach bu chòir dhaibh ceò a dhèanamh gun adhbhar oir dh'innseadh sin dhan nàmhaid càit an robh an conbhoidh. Air an oidhche, dh'fheumadh iad feuchainn cho math agus a b' urrainn dhaibh cumail dlùth ris na soithichean eile, a dh'aindeoin droch aimsir agus chombaistean magnaiteach nach obraicheadh ceart cho faisg air a' Phòl. Bha duilgheadas eile aig na comodoirean, agus b' e sin an seòrsa seòladair a dh'fhaodadh nochdadh air bàtaichean-marsantachd mar chriutha.

Ann am meadhan aon stoirm mhòr ann am Muir Bharents faisg air deireadh na Dùbhlachd 1942, thàinig fios gu Comodoir Melhuish gun robh cuid den chriutha air a' bhàta air briseadh a-steach gu stòr far an robh ruma (ruma a bha ri a thoirt seachad gu criutha bàta-sguabaidh mhèinnichean ann an Geodha Kola). Bha sabaid mhòr a' dol air adhart le sgeinean, agus chaidh cuid a shàthadh ann am meadhan na stoirm. Cha b' e stòcairean cumanta a bha anns na seòladairean seo ge-tà. B' ann à Prìosan Bharlinnie ann an Glaschu a bha iad. Chaidh £100 an duine a thairgsinn dhaibh nam falbhadh iad a dh'obair air a' chonbhoidh. Thàinig an caiptean agus buidheann a-nuas on drochaid airson cùisean a shocrachadh, agus cha b' e rud furasta a bha sin. A bharrachd air sin bha locomotif air na sèinichean aige a bhriseadh agus bha an t-einnsean mòr sin a' ruith air ais 's air adhart le gach tulgadh a fhuair am bàta. Co-dhiù, chaidh rian a chur air a' ghnothach agus chaidh aire gach eucorach a tharraing air ais dhan fhìor-nàmhaid, na Gearmailtich.

Anns na còig bliadhna de chogadh eadar 1939 agus 1945, bha 4025 conbhoidhean a' chuain mhòir ann. Chaidh 1480 dhiubh tarsainn na h-Atlantaig; chaidh 653 dhiubh gu Gibraltar; 78 dhiubh dhan Artaig; agus an còrr dhiubh gu àitean mar Afraga a Tuath, an Atlantaig a Deas,

Comanndair St Vincent Sherbrooke

64

agus an Cuan Innseanach. Chaill conbhoidhean na h-Atlantaig a bha a' seòladh eadar Aimeireagaidh agus Breatainn 12.5% de na soithichean aca, agus chaill conbhoidhean Gibraltar 12.5%, ach anns an Artaig chaidh 27% de na soithichean a chall. Bha e follaiseach gun robh Churchill ceart nuair a dh'ainmich e Conbhoidhean na h-Artaig "an turas bu mhiosa san t-saoghal". Chaill 3,000 seòladair agus neach-seirbhis am beatha annta.

Bu mhòr am moladh a bu chòir a thoirt dha na comodoirean airson an obair a rinn iad a' stiùireadh conbhoidhean na h-Artaig.

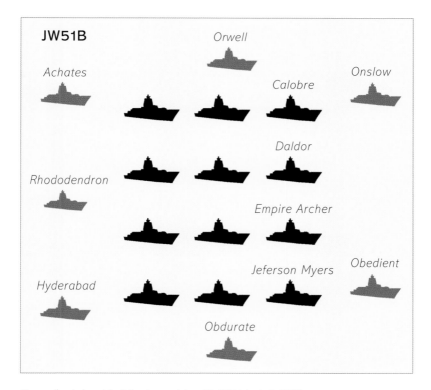

Cumadh a' chonbhoidh air madainn 31 Dùbhlachd, 1942
Bha trì soithichean marsantachd a dhìth madainn 31 Dùbhlachd, 1941 – *Dover Hill* a thill air sgàth trioblaidean meacanaigeach, agus *Chester Valley* agus *John Latrobe* a bha air seachran air a' chonbhoidh.

9

COBHAIR AGUS CÙRAM

'S e nàdar mac an duine, gu h-àraidh aig muir, cobhair a thoirt do cho-chreutairean ann an cunnart. Anns na conbhoidhean, bha òrdugh ann gur e am bàta aig deireadh gach colbh a chuidicheadh soitheach eile anns a' cholbh ma bha i ann an cunnart a dhol fodha an dèidh ionnsaigh.

Ged a bha e furasta a thuigsinn carson a bhiodh òrdugh mar seo ann, bha droch-bhuil na chois. Nan stadadh soitheach-marsantachd is i làn de bhathar, bha i ann an cunnart a bhith air a call. Oir, bha e na b' fhasa torpedo no slige a chur ann am bàta a bha na stad na tè a bha a' gluasad. Agus, gu math tric b' e seo a thachair, agus dheigheadh dà bhàta fodha an àite aon.

A bharrachd air seo, air an rathad air ais bhon Ruis dhan Rìoghachd Aonaichte bha, anns a' chumantas, na bàtaichean gun charago agus ann am balaist. Bha seo a' ciallachadh gun robh deic a' bhàta cho àrd anns an uisge 's gum biodh e doirbh neach a bha anns a' mhuir a tharraing air bòrd.[24] Bha am 'freeboard' cus ro àrd. Dh'fheumadh siostam na b' fheàrr a thoirt a-staigh airson seòladairean a shàbhaladh.

Airson nan adhbharan sin agus air sgàth 's nach robh cuid de na soithichean aig deireadh a' chuilbh a' stad airson maraichean a shàbhaladh, thuig Admaral Sir Martin Dunbar-Nasmith V.C., K.C.B., K.C.M.G., C-in-C Western Approaches[25], anns an t-Sultain

1940 gum feumadh bàtaichean-teasairginn sònraichte a bhith ann airson na h-obrach seo.

Cha robh bàtaichean mar seo aig a' Chabhlach Rìoghail agus dh'fheumadh sgiobaidhean a thighinn bho thaobh a' Chabhlaich Mharsantachd. B' iad na ciad bhàtaichean-cobhair a chaidh dhan Artaig bàtaichean a chleachd a bhith a' seòladh timcheall cladaichean Bhreatainn. Bha iad mu thimcheall 250 troigh a dh'fhaid agus 1,500 tunna a chuideam, le freeboard na b' ìsle na na soithichean mòra. Bha tancaichean mòra orra le uisge airson òl agus bha stòrasan bìdh orra na bu motha na bàtaichean eile den aon mheud. Bha na 'coasters' seo freagarrach airson a bhith ag obair mar bhàtaichean-teasairginn do chonbhoidh.

An toiseach bha na soithichean-cobhair seo suidhichte ann an Grianaig agus an dèidh sin ann an Glaschu, le caipteanan orra a bha eòlach. Thàinig na bàtaichean airson a' mhòr-chuid bho na companaidhean a bha seòladh timcheall oirthir Bhreatainn. Mar eisimpleir, chaidh gach tè den aon bhàta-deug aig a' Chlyde Shipping Company a ghabhail thairis airson na h-obrach seo. Bhiodh conbhoidhean a' siubhal aig 10 knots (12mph) agus dhèanadh na soithichean-cobhair 11-12 knots (13-14mph). Le sin bha e nan comas conbhoidhean a ghlacadh a-rithist an dèidh stad gus cobhair a thoirt do bhàta agus seòladairean a bha air a bhith ann an cunnart.

An toiseach, a chionn 's gun robh cabhag sa chùis, cha deach cus atharrachaidh a dhèanamh air na 29 bàtaichean a chaidh a ghabhail thairis. Is dòcha gum biodh leapannan a bharrachd air an ceangal ris an deic, 's goireasan a bharrachd ann airson daoine a bhith gan glanadh fhèin (gu tric bhiodh an fheadhainn a thàrr às lem beatha dubh le ola).

Chuir iad cuideachd Carley Floats orra; barrachd thancaichean airson uisge-òil (le bhith a' cur slige dhùbailte ann am bonn a' bhàta); tancaichean connaidh na bu mhotha; lìontan-sreap; 'boom' le lìon air agus a bhiodh air a sgaoileadh a-mach bhon t-soitheach airson maraichean air ràthan-sàbhalaidh a thogail.

Chaidh goireasan meidigeach a chur air bòrd cuideachd airson dèiligeadh ris na leòintich – 'sick bay', seòmar obair-lannsa, lannsair agus neach-frithealaidh meidigeach.

Cha bhiodh oifigear-meidigeach air bàtaichean-marsantachd anns a' chumantas, ach bhiodh ciste le stuth meidigeach aig a' chaiptean airson dèiligeadh ris na seòladairean a dh'fhàsadh tinn. Nuair a rachadh an naidheachd timcheall gun robh Lannsair-Leifteanant air a' chonbhoidh, bhiodh e na GP do na mìltean de mharaichean air conbhoidh (2,500 air an fheadhainn bu lugha agus 10,000 air an fheadhainn bu mhotha). Bha e na chleachdadh dotair no euslainteach a ghluasad bho aon bhàta gu bàta eile aig muir gus cobhair fhaighinn no a thoirt seachad agus chaidh cobhair a thoirt do mhòran anns an dòigh seo. Air bòrd nan soithichean-cobhair bhiodh àiteanan-cadail ann airson 30 oifigear agus 150 seòladair. Gheibheadh na h-oifigearan cabanan agus na seòladairean buncaichean.

B' e a' chiad dhleastanas aig na soithichean-cobhair luchd-tàrrsainn a thoirt air bòrd nuair a rachadh bàta a chur fodha. Bha sgoth-sàbhalaidh air gach taobh dhiubh gus am biodh taobh fasgaidh ann nuair a rachadh sgoth-sàbhalaidh a chur air bhog, agus nuair a thogadh iad leòintich às an uisge.

Airson nan sgothan-sàbhalaidh a chur air bhog gu luath, chaidh croichean-bàta (davits) meacanaigeach agus unndais-dealain (electric winch) a chur air na soithichean-sàbhalaidh. Fhuair na sgothan-sàbhalaidh einnseanan làidir a bha fìor fheumail sa chuan. Ron sin bhiodh aig criutha ràimh a chleachdadh agus bhiodh tàir agus duilgheadasan an cois sin.

Bha dleastanas eile aig na sgothan-sàbhalaidh agus b' e sin 'plane guard'. Bhiodh plèanaichean mar *Hurricanes* an cois a' chonbhoidh agus bhiodh iad air an tilgeil dhan adhar bho long CAM (Catapult Aircraft Merchant Ship). Bha an obair seo gu math cunnartach do chriuthaichean-adhair agus bhiodh na sgothan-sàbhalaidh gu math èifeachdach ann a bhith togail sgioba-plèana nuair a thachradh tubaist dhaibh.

A bharrachd air na leasachaidhean meidigeach, fhuair soithichean-sàbhalaidh innealan siognailidh na b' fheàrr. Chaidh proiseactaran 10" a chur air gach taobh den drochaid, an dà chuid mar lampaichean-siognailidh agus solais-rannsachaidh bheaga. Bha an uidheamachd rèidio air ùrachadh gu ìre a' Chabhlaich Rìoghail fhèin agus fhuair iad innealan telefòn-rèidio cuideachd.

Am bàta-sàbhalaidh *Copeland*

Mar a chaidh innse, cha deach na bàtaichean-sàbhalaidh a thogail airson na h-Atlantaig no na h-Artaig, ach airson a bhith a' siubhal timcheall oirthir Bhreatainn. Gu h-iongantach, cha deach aon bhàta a chall air sgàth stoirm, ach chaidh aon fodha far costa Talamh an Èisg, Canada, air sgàth 's gun do dh'fhàs an deigh oirre. Bha na bàtaichean seo comasach ann an droch mhuir agus b' ionmholta an obair a rinn iad.

Tha aon sgeulachd iongantach air innse mun Chaiptean Bill Hartley[26] agus a' chiad turas aige na mhaighstir air bàta-sàbhalaidh. Bha e os cionn a' bhàta-shàbhalaidh *Copeland* a dh'fhàg Loch Iùbh air 2 Sultain, 1942 airson cobhair meidigeach a thoirt do PQ18. Bha PQ18 air fear de na conbhoidhean bu mhotha a dh'fhalbh dhan Ruis le 40 bàta-marsantachd.

Aig 15:15 air 13 Sultain thug *Heinkel* HE 111 ionnsaigh air a' bhàta-marsantachd *Empire Beaumont* agus chaidh i fodha ro 18:30 an oidhche ud. A dh'aindeoin droch shuidheachadh a' bhàta-mharsantachd, shàbhail 68 a-mach à criutha de 74. Thog an *Copeland* 42 dhiubh às an uisge. An dèidh ruaig a chur air dà bhomair a dh'fheuch ionnsaigh orra, ghabh Caiptean Hartley 163 neach eile air bòrd a bha bàtaichean-dìon a' Chabhlaich Rìoghail air togail bho shoithichean eile.

An dèidh cobhair meidigeach fhaighinn, chaidh 109 de na daoine a thàrr às lem beatha a chur air bòrd soithichean a' Chabhlaich Rìoghail a bha a' tilleadh dhan Rìoghachd Aonaichte. Bha staid nan ospadal anns an Ruis cho truagh 's nach robh e sàbhailte dha na h-euslaintich fuireach annta.

Air 18 Sultain, agus *Copeland* agus PQ18 a-nis a' teannadh air an Ruis, fhuair Caiptean Hartley òrdugh seòladair Aimeireaganach a bha air a dhroch leòn a thogail far a' bhàta-mharsantachd *Patrick Henry*.[27] Bha e ro chunnartach stad airson an seòladair aiseag bho aon bhàta dhan fhear eile agus le sin chaidh an *Copeland* làmh ris a' *Phatrick Henry* agus chùm na dhà a' seòladh aig 9 knots (10mph). Chaidh an seòladair aiseag a-null dhan *Chopeland* agus fhuair e cobhair meidigeach a shàbhail a bheatha. (Cha b' e na Gearmailtich a bha air an seòladair bochd a leòn, ach fear den chriutha aige fhèin a chaidh às a chiall le sgian air sgàth nan ionnsaighean-adhair.)

Nuair a ràinig Caiptean Hartley Archangel, chaidh an fheadhainn a thàrr às lem beatha a chur air tìr airson àitean-fuirich fhaighinn. Bha 87 dhiubh nan Ruiseanaich. Fhuair an Caiptean an DSO airson na rinn e air PQ18.

Chaidh Hartly a ghluasad gu *Goodwin*, bàta-sàbhalaidh eile, anns a' Ghearran 1944 agus ann an Giblean na bliadhna sin chaidh e a chuideachadh bàta à Nirribhidh, *South America*. Bha U-302 air am bàta seo a bhualadh le torpedo. Anns a' bhad, chaidh i na teine agus bha na lasraichean ag èirigh suas gu mullach a' chrainn. Thuig Hartley nach robh ach aon dòigh air an criutha a shàbhaladh agus b' e sin a dhol gu deireadh an *South America*. Mu 70 slat air falbh bho dheireadh a' bhàta, thachair sprèadhadh mòr eile. Bha an dàrna torpedo air an *South America* a bhualadh, ach gu h-iongantach chuir am blast às dhan teine air bòrd. Stad *Goodwin* 40 slat bhon *South America* agus chaidh an criutha uile a shàbhaladh taobh a-staigh 37 mionaidean.

Criuthaichean

Air na bàtaichean-sàbhalaidh, bha e cumanta gillean às na h-eileanan fhaicinn, gu h-àraidh bho na h-Eileanan A-muigh agus na h-Eileanan A-staigh. B' e an t-adbhar airson seo gun robh Caiptean an t-soithich ag iarraidh criutha de na seòladairean a b' fheàrr oir bha feum aige air seòladairean sgileil nuair a bhiodh droch shìde ann 's obair deic ri dhèanamh, agus cuideachd nuair a dh'fheumar sgoth a chur air sàil ann an cuan-àrd.

Uaireannan, bhiodh nàbaidhean às na h-eileanan còmhla ann am Muir Bharents, mar a thachair do Dhàibhidh MacDhòmhnaill agus Ailig MacLeòid à Bhatarnais. Bha iad a' fuireach an-ath-dhoras ri chèile anns an Eilean Sgitheanach agus bha iad air a bhith san sgoil còmhla. A-nis bha iad air conbhoidhean am measg cunnartan na h-Artaig. Bha Ailig air a' bhàta-shàbhalaidh an *Northern Gem* agus Dàibhidh air HMS *Achates*. A bharrachd air sin, aon turas thachair Ailig air thuairmeas ri a bhràthair fhèin mus do sheòl an *Northern Gem* à Loch Iùbh. Bha Uilleam air bàta a bha a' giùlan uisge gu bàtaichean-marsantachd a' chonbhoidh.

B' e an seòrsa cùmhnant as cumanta anns a' Chabhlach Mharsantachd, an cùmhnant far an robh oifigearan agus seòladairean a' soidhnigeadh airson turas slàn, mar eisimpleir, eadar Cluaidh agus Cluaidh, gun bheachd a thoirt air dè cho fada agus a bhiodh a' bhòidse. Le sin bha a' chuid bu mhotha de na cùmhnantan a' ruith thairis air dà chonbhoidh,[28] aon a' seòladh a-mach às an Rìoghachd Aonaichte, agus aon a' seòladh air ais.

Bha na stòcairean cuideachd air an taghadh gu faiceallach. Dh'fheumadh sgil agus smior a bhith annad gus na goileadairean a chumail a' dol le gual aig teas a chumadh smùide aig a' bhruthadh ceart. Cuideachd, dh'fheumadh neart a bhith aig stòcair airson nan amannan sin a dh'fheumadh soitheach a h-astar àrdachadh anns a' bhad, mar a dh'fheumadh na bàtaichean-sàbhalaidh nuair a bha soitheach a' dol fodha ann an uisgeachan fuar na h-Artaig.

Bha e inntinneach nach do dh'atharraich mòran de na bàtaichean-sàbhalaidh na criuthaichean aca fad a' chogaidh. Dh'fhanadh iad còmhla 's iad a' soidhnigeadh suas airson an aon bhàta turas-cuain an dèidh turas-cuain. Agus, bha an criutha air na bàtaichean-sàbhalaidh a' coimhead an dèidh a' bhàta gu cùramach – rud a bha aithnichte am measg nan seòladairean.

Ailig MacLeòid à Bhatarnais.

Ron chogadh bhiodh mu 25 criutha air na bàtaichean-sàbhalaidh, ach anns a' chogadh dh'èirich seo gu timcheall air 70. Bha feum air barrachd luchd-frithealaidh bìdh, agus bha buidheann mòr a dhìth gus armachd shònraichte a làimhseachadh, leithid 'depth charges', gunna deice 4", agus bataraidhean Anti-aircraft (gunnaichean *Oerliken* agus *Bofors* nan lùib). Bha na bàtaichean-sàbhalaidh air aithneachadh mar DEMS (Defensively Equipped Merchant Ships).

Seo mar a bha criutha (eadar 63-73 neach) air a chur ri chèile:

1	Caiptean
3	Oifigearan-Seòladaireachd
1	Àrd-innleadair
3	Oifigearan-Innleadaireachd
12-15	Maraichean
12-18	Maraichean ann an seòmar an einnsein (bhiodh na bu lugha air bàta a bha a' losgadh ola an àite guail)
12	Còcairean is eile
3-6	Oifigearan-Rèidio
1	Oifigear-Meidigeach
1-2	Luchd-obrach meidigeach
2	Luchd-siognailidh bhon Chabhlach Rìoghail
12	Gunnairean DEMS

Fhuair an criutha cunbhalach na h-àitean-fuirich agus cadail àbhaisteach is chaidh feuchainn ri àite cofhurtail a thoirt don luchd-obrach ùr. Anns gach bàta bha àite-còmhnaidh a' chriutha air leth bho na h-àitean far an cuireadh iad an luchd-tàrrsainn a thigeadh air bòrd an dèidh gàbhadh. Bha an t-àite acasan na bu bhunaitiche oir b' e an dòchas nach biodh iad ann ach airson ùine ghoirid.

Gu h-iongantach, ann an sgrùdadh a bha a' coimhead air na lotan agus mar a bhàsaich seòladairean, fhuaras a-mach nach robh an t-uabhas dhaoine a bha air an droch leòn a' tighinnn air bòrd nam bàtaichean-sàbhalaidh. B' e an t-adhbhar airson seo gum biodh an fheadhainn a bha air am fìor dhroch ghoirteachadh a' dol sìos leis a' bhàta oir cha bhiodh e an comas dhaibh fhaighinn air falbh, gu h-àraidh ma bha iad fon deic.[29]

A' coimhead an dèidh luchd-tàrrsainn

Nuair a bha bàtaichean-marsantachd air an gabhail thairis airson obair-teasairginn, b' ann leis an Admiralty a bhiodh iad on àm sin a-mach. Le sin fhuair luchd-seilbh nam bàtaichean gach cosgais a bha an urra ri ruith bàta: biadh, connadh, stòir, tuarastal criutha, càradh, agus dìoladh airson a bhith a' cleachdadh a' bhàta. Le sin nuair a thigeadh luchd-tàrrsainn air bòrd, b' e an riaghaltas, aig deireadh an latha, a bha a' pàigheadh airson an cuid bìdh.[30]

Gu h-iongantach, cha robh an riaghaltas a' toirt aodach do na seòladairean a bha air an toirt air bòrd nam bàtaichean-sàbhalaidh. Cha tug riaghailtean a' Chabhlaich Rioghail cead aodach sìobhalta a cheannach airson luchd nèibhidh. Agus, cha robh e na chleachdadh na bu motha aig luchd-sealbh nam bàtaichean aodach a cheannach do na seòladairean aca. Anns na lathaichean sin bha cùisean eadar-dhealaichte. Ged a tha e doirbh a chreidsinn, bha tuarastal seòladair a' sgur an latha a rachadh am bàta aige fodha. B' e an cùmhnant a bha aige cùmhnant bòidse agus nan d' rachadh stad a chur air a' bhòidse, bha an cùmhnant air a bhriseadh agus sguireadh an tuarastal aige.

Mura biodh seòladairean air an togail le bàta-cobhair a' chonbhoidh aig an àm, bhiodh an suidheachadh aca gu math cruaidh ann an sgoth fosgailte air a' Chuan Artach. Seo earrann a sgrìobh nabhaigeatar Ruiseanach mu bhàta-sàbhalaidh a choinnich e anns an robh 50 neach-tàrrsainn.

I remember it was 13 July, 1942. That day I was asked to fulfil the duties of navigation officer. Our ship was on the outer patrol near Kola Bay – the main base of the Northern Fleet. The weather was extremely good, calm and sunny. Suddenly there was a telegram cipher on the bridge. Our commander Kondratyev read the telegram, handed it to me and gave an order to navigate on the set course. The telegram read, 'To the commander of frigate SKR-32. Our submarine K-22 identified a rescue boat with sailors in distress [coordinates withheld]. Locate the boat and save the men. Commander of the Fleet.'

The given coordinates were about 30 miles to the north of our position, and a little more than three hours later we found the rescue boat full of freezing men. Fifty sailors had spent several days in the Barents Sea. Some were unconscious. We took them aboard, gave them alcohol and dry clothes.

On our way back to Polyarnoye base we realised that six of the sailors were Russian, and they told us the story. The rescued survivors were from the British merchant ship 'Bolton Castle' that was part of PQ17 convoy. They had been sunk by air attack on 5 July.[31]

Nuair a bhiodh luchd-tàrrsainn air an togail às an uisge, cha bhiodh aca ach an t-aodach a bha orra, eadar èideadh oifigeir a bha ag obair air an drochaid agus fo-lèine agus briogais dhenim a bhiodh air stòcair a bha ag obair anns an teas ann am mionach a' bhàta. Agus gu math tric bha an t-aodach sin air a mhilleadh leis an ola a thaom a-mach às a' bhàta nuair a chaidh i fodha. Le sin bha e deatamach gum biodh trusganan ùra ann dhaibh.

Gu fortanach, bha an carthannas am British Sailors Society deònach aodach agus stuth-ionnlaid a thoirt dhaibh, oir bha fios aca nach tigeadh airgead on riaghaltas air a shon. Agus, ann am freastal eile dheònaich am British War Relief Society of the USA an t-airgead a bha am British Sailors Society a' cosg air aodach agus stuthan eile a phàigheadh. A bharrachd air a bhith a' cuideachadh am British Sailors Society thug am buidheann Aimeireaganach seo 200 trusgan is eile dhan Chabhlach Rìoghail airson maraichean a' Chabhlaich Mharsantachd. Chaidh 100 trusgan fhàgail ann am Murmansk agus 100 ann an Archangel fo chùram an Senior British Naval Officer (SBNO) anns gach àite.

Ann am pasgan neach-tàrrsainn (survivor's kit) bha fo-aodach, stocainnean, brògan, briogais, geansaidh no càrdagan, còta-froise no oillsgin, ceap agus miotagan. San stuth-ionnlaid bha ràsar agus ealtainnean airson an ràsair, siabann, uachdar-fhiaclan is eile. Chosgadh seo uile mu £5 aig an àm. Rud inntinneach eile, bha plaidean-dealain air an toirt seachad cuideachd airson luchd-tàrrsainn a bha air chrith no air an lathadh buileach leis an fhuachd. A bharrachd air na rudan sin, bha tabhartasan de leabhraichean, cairtean-cluiche, darts, agus bùird-darts, agus bha seataichean dàmais (draughts) ann cuideachd.

Ged a bha na bàtaichean-teasairginn agus an luchd-meidigeach a' dèanamh an dìchill na daoine a thog iad a chumail beò, cha bhiodh seo comasach anns a h-uile suidheachadh. Anns an eadar-theangachadh seo, tha SA Kerslake,[32] ann an geàrr-chunntas a sgrìobh e mun àm aige air a' *Northern Gem*, ag innse dè thachradh nuair a bhàsaicheadh seòladair a bha air a thogail on uisge:

Bu toigh leam innse mu obair a bha agam ri dhèanamh... dh'fheumadh cuideigin a dhèanamh. Smaoinich mi a chionn 's gur e mise an cocsan...gum bu chòir dhomh seo a dhèanamh.

Le sin, le aon neach saor-thoileach eile, Jack Sullivan, b' e an obair agam neach sam bith a bhàsaicheadh air a' bhàta againn, no a bha marbh san uisge, ullachadh airson a bhith air a thiodhlacadh aig muir. Làimhsich sinn an neach gu faiceallach le spèis agus urram cho fad agus a bha sin comasach, ach ann an cuid de shuidheachaidhean dh'fheumadh cabhag a bhith sa chùis, ma bha droch aimsir no adhbharan eile ann.

Dh'fheumadh sinn pìos canabhais làidir, snàthad agus toinne, agus dà bhàr iarainn [a thigeadh à bonn goileadair-guail] gus an obair seo a dhèanamh. Nuair a bha gach nì deiseil, bha an corp air a chur air dèile, fo bhratach gheal a' Chabhlaich Rìoghail no bratach dhearg a' Chabhlaich Mharsantachd. An uair sin rachadh innse do oifigear na faire, agus dh'innseadh esan dhan Chomanndair gun robh cùisean deiseil. Thigeadh an Comanndair no a' Chiad Lioftanant a-nuas dhan deic. Air an deic bhiodh na b' urrainn den chriutha agus de charaidean an t-seòladair. Leughadh an t-oifigear bhon Bhìoball airson seirbheis tiodhlacaidh aig muir. An dèidh dha crìochnachadh, bhiodh dèile air a thogail agus dheigheadh aon cheann a chur air rèile a' bhàta; bhiodh an ceann eile air a thogail gus an sleamhnaicheadh an seòladair an comhair a chois dhan fhois shìorraidh.

Cha bhiodh am bàta na stad ach airson na h-ùine goirid a bheireadh seo agus thogadh i oirre cho luath 's a b' urrainn dhi an dèidh sin. Oir, fhad 's a bha i na stad bha i na targaid airson bàta-U sam bith a bha san àrainn. Corra uair cha toireadh àrd-oifigear cead seachad airson stad a chur air a' bhàta oir bhiodh e ro chunnartach agus gòrach sin a dhèanamh.

B' e àm duilich a bha ann airson an fheadhainn a bha air am fàgail gus an strì a chumail suas; gu h-àraidh, mas e neach a bhiodh a' faireachdainn rudan gu làidir a bha ann. Feumaidh mi aideachadh gur ann mar sin a bha mise, agus bhithinn gu tric a' smaointinn mu na càirdean aig an fhear a bha air a bhith Discharged Dead (DD). Cò iad, agus dè cho fada 's a bhiodh e gus am faigheadh iad a-mach nach biodh an duine, an t-athair no an leannan aca a' tilleadh. Ach cha b' e duine a bha annam a bhiodh a' cnuasachadh air na rudan seo ro fhada – cha b' urrainn dhut, no dh'fhaodadh tu do mhisneachd agus do chiall a chall uile gu lèir.

Treunachd nan Dotairean

An dèidh tachartas leithid bàta a bhith air a torpedothadh agus air a cur fodha, bhiodh motair-loins air a chur air bhog agus bheireadh na maraichean mu dhà uair a thìde a' sireadh luchd-tàrrsainn. Cho fad 's a bha am motair-loins a' dol timcheall bha am bàta-sàbhalaidh fhèin ann an cunnart. Cha robh na Gearmailtich a' coimhead air bàtaichean-sàbhalaidh mar shoithichean-ospadail agus losgadh iad orra.

Tha iomadh sgeulachd ann mu threunachd nan dotairean agus luchd-meidigeach a' Chabhlaich Rìoghail a dh'fheumadh a bhith air an aiseag gu na bàtaichean-sàbhalaidh airson cobhair a thoirt seachad.[33] Uaireannan dh'fheumadh seo a dhol air adhart ann an fìor dhroch shìde agus ann an cuan gàbhach.

Anns an Dùbhlachd 1942, ann am fìor dhroch aimsir, chaidh an t-òrdugh a thoirt do Lioftanant Hood, lannsair òg a bha 25 bliadhna a dh'aois air HMS *Obdurate*, a dhol air bòrd a' bhàta-shàbhalaidh an *Northern Gem* airson cobhair a thoirt do sheòladairean a thàrr às o bhàta a chaidh fodha. Thuirt an aithisg an dèidh làimh gun deach iad 'cho faisg 's a bha ciallach' air an *Northern Gem*. Bha ròpa air a chur timcheall Lt Hood agus leum e seachd troighean sìos gu deic a' bhàta-shàbhalaidh. Ghabh na seòladairean air an *Northern Gem* grèim air agus leig iad às an ròpa.

Rinn Hood 'triage' air na lèointich, gan cur ann an trì roinnean: an fheadhainn do nach urrainn cobhair a thoirt; an fheadhainn nach fheumadh cobhair; agus an fheadhainn dhan urrainn cobhair a thoirt. Thug Lt Hood pian-mhùchan do aon sheòladair agus leig seo leis na h-uairean mu dheireadh dha bheatha a chur seachad ann an suain gun phian. Bha fear eile ann le pìos meatailt na cheann agus a dh'fheumadh obair-lannsair fhaighinn air tìr. Thugadh taic dhasan. Bha feadhainn eile – a chuid bu motha dhiubh – air an cur nan laighe air bòrd anns an t-seòmar-chomaidh (mess room) agus rinneadh obair-lannsaireachd orra an sin. Bha Lt Hood ag obair tron latha agus a-staigh dhan oidhche ann an aimsir thulgach, ghailleanach, chunnartach. Fhuair e an DSC airson a threunachd agus a dhìlseachd.

Tha sgeulachd eile ann mu Lannsair Lioftanant Ransom Wallace[34] nuair a bha e air HMS *Martin* a bha a' toirt dìon ann an conbhoidh PQ16 anns a' Chèitean 1942. Bha ionnsaigh bhomairean a' dol air adhart nuair a fhuair e òrdugh gun robh aige fhèin agus sgioba de sheòladairean cobhair a thoirt do sheòladairean a bha air an droch leòn air bàta-marsantachd Ruiseanach. Bha carago de stuth-spreadhaidh air a' bhàta Ruiseanach agus bha i air a dhol na teine.

Chaidh innse do Ransom Wallace nach stadadh gach bàta ach airson diog. B' e sgoth-sàbhalaidh a bha a' dol a thoirt Ransom Wallace suas dhan bhàta Ruiseanach a bha na stad gun chumhachd. Nis, cha b' e sgoth-sàbhalaidh le einnsean a bha ann, ach tè le ràimh. Thòisich iad ag iomradh suas dhan bhàta-mharsantachd. Ach, nuair a fhuair Ransom Wallace faisg oirre, thòisich am bàta Ruiseanach na h-einnseanan aice agus ghluais i air falbh bhon sgoth. Abair suidheachadh airson Ransom Wallace agus an sgioba aige – bomaichean a' tuiteam, sgoth-sàbhalaidh a' lìonadh le uisge bho na tuinn a bha a' briseadh thairis oirre, agus criutha ag iomradh a' feuchainn ri grèim fhaighinn air soitheach a bha a' tarraing air falbh.

Air dòigh air choreigin, ghlac iad am bàta-marsantachd agus leum Ransom Wallace air bòrd le cuidiche meidigeach. Shocraich iad an fheadhainn a bha air an droch leòn agus leig iad sìos iad air sreadsairean 'Neil Robertson' dhan sgoth-sàbhalaidh agus an uair sin gu HMS *Martin* airson tuilleadh leighis.

Goireasan Meidigeach air Tìr air Taobh Tuath na Ruis

Nuair a thòisich na conbhoidhean dhan Ruis anns an Lùnastal 1941, cha robh e air a shùileachadh gum maireadh iad ùine mhòr. Le sin cha robh na ceannardan seirbheis a' faicinn gum biodh feum air goireasan meidigeach air tìr air Taobh Tuath na Ruis airson luchd-seirbheis agus shìobhaltairean caidreabhach (allied civilians).

A bharrachd air seo, chaidh innse dhan Admiralty gun robh goireasan meidigeach Sobhieteach freagarrach. Cha robh seo fìor. Agus, bha e doirbh leasachadh a dhèanamh air cùisean oir cha robh na Ruiseanaich ag iarraidh cuideachadh le stuthan meidigeach. B' e sluagh uaibhreach agus dìorrasach a bha annta. Na bu dhuilghe buileach, dh'fheumadh duine sam bith a bha airson a bhith ag obair air tìr bhìosa fhaighinn agus bheireadh seo ùine mhòr. Cha robh saorsa ann do luchd-meidigeach mar a bhiodh dùil.

Feumaidh sinn cuimhneachadh cuideachd an suidheachadh anns an robh na Ruiseanaich. Bha an dùthaich a' strì airson a beatha.

Cha robh aghaidh a' bhlàir ach 20 mìle air falbh bho Murmansk. Bha daoine a' bàsachadh leis an acras agus bha ospadalan a' fulang bho ionnsaighean-adhair. Bha na h-ospadalan ann an Archangel agus Murmansk fo chuideam 's gun mòran uidheamachd aca. B' e an aithris a bha a' tighinn bho mhuinntir a' Chabhlaich Rìoghail a fhuair cothrom tadhal air na h-ospadalan gur e a' chiad rud a mhothaich iad, fàileadh sepsis.

Aig an àm seo, cha robh muinntir na Rùis fhèin a' faighinn cobhair meidigeach ach far an robh e coltach gun cuidicheadh seo leotha tilleadh gu aghaidh a' bhlàir no gu àite eile a bhiodh feumail dhan dùthaich. Nuair a tha cruaidh-chàs ann bidh daoine air am meas – a bheil iad gu feum no a bheil iad gun fheum? A dh'aindeoin seo, bha an luchd-meidigeach Ruiseanach bàigheil agus cuideachail far am b' urrainn dhaibh a bhith ged a bha cobhair agus togalaichean truagh ann do leòintich Bhreatannach agus chaidreabhach. A rèir coltais, b' e a' mhuinntir phoilitigeach a bha a' cur bacadh air adhartas. Sgrìobh aon oifigear meidigeach bhon Chabhlach Rìoghail gun robh e duilich a bhith a' smaoineachadh nach fhaigheadh an fheadhainn a bha air an droch leòn cùram agus gun deigheadh leigeil leotha bàsachadh – ge bith dè an dùthaich dham buineadh iad.

Ann am meadhan na bliadhna 1942, thug an t-oifigear-nèibhidh a b' àirde air Taobh Tuath na Ruis rabhadh dhan Admiralty gun robh e deatamach gun deigheadh ionad-meidigeach a chur dhan Ruis, an dàrna cuid ann an Archangel no Murmansk. Cha robh fios aig an àm sin gun robh an Admiralty a' dol a dh'fhaicinn ann am beagan ùine dè cho fìor 's a bha faclan an àrd-oifigeir air sgàth milleadh PQ17 anns an Ògmhios 1942. Ann an sgrios PQ17, thàinig 1600 luchd-tàrrsainn gu Archangel, mòran dhiubh air an leòn, agus bha na h-ospadalan an sin a' cur thairis agus a-rithist anns an t-Sultain 1942 thachair an aon duilgheadas an dèidh PQ18 a bhith air a chreachadh.

A dh'aindeoin nan uireasbhaidhean air tìr anns an Ruis,[35] rinn an luchd-meidigeach an dìcheall gus cùram a ghabhail de na lèointich. Tha cliù aig aon duine airson na rinn e gus rian a chur air a' mhì-rian. Bha Gillies MacBain na lannsair lioftanant sealach air a' bhàta-sàbhalaidh *Zamalek*. Bha 154 luchd-tàrrsainn air bòrd agus air an t-slighe gu Archangel chaidh ionnsaigh an dèidh ionnsaigh a dhèanamh oirre agus air na bàtaichean eile.[36] Aig an aon àm, b' fheudar dhan *Zamalek* stad air sgàth pìoba connaidh a bha air sgàineadh. Chaidh seo a chàradh fhad 's a bha na bomairean a' toirt ionnsaighean oirre 's i air a sgaradh bhon chonbhoidh.

Cheangail i ris a' chidhe ann an Archangel air 11 Iuchar agus chuir i 80 neach-tàrrsainn air tìr. Chaidh an 74 neach eile a ghleidheadh air a' bhàta fhèin oir cha robh àitean-fuirich dhaibh air tìr. Anns an ùine a bha an *Zamalek* ann an Archangel, bha ionnsaighean-adhair a' dol air adhart agus bha biadh gu math gann.

Ann an Archangel chaidh MacBain, an t-oifigear-meidigeach, a chur os cionn chùisean. Cha robh MacBain leis fhèin, ach b' esan a chùm rian air suidheachadh a bha gu math cugallach. Bha àrd-oifigear rèidio, fear Wolf, air bàta-sàbhalaidh eile, an *Zaafaran*. Rinneadh esan na àrd-oifigear rianachd agus thòisich e a' clàradh gach neach a bha leònte. Fhuair e lorg air àitean-fuirich agus dh'iarr e air na h-ùghdarrasan taighean-bìdh a ghabhail os làimh gus am biodh àitean-ithe ann do na seòladairean. Bha am biadh truagh, ach bha e na b' fheàrr na bha aig na Ruiseanaich às an àite fhèin ri ithe.

Dh'fheuch MacBain ri bhith ag obair anns na h-ospadalan còmhla ris na Ruiseanaich ach cha leigeadh iad leis. Fhuair e cead a dhol a-steach a dh'fhaicinn dè bha a' dol air adhart agus sin uile. Cha d' fhuair e cead stuthan meidigeach no seirbheisean a thoirt dhan ospadal. Cha robh filmean X-ray ann, no dòigh air dealbhan X-ray fhaighinn. Cha robh dòighean-obrach ana-seaptaig ann. Cha robh plana ann airson pian-mhùthadh. Airson opairèiseanan, cha robh stuth ann airson neach a chur ann an suain. Cha robh ann ach an-fhaireachair ionadail (local anaesthetic) ma bha sin fhèin ann. Agus, bha creuchdan galarach cumanta. Fhuair MacBain DSC airson a dhealas.

An dèidh seo, nuair a chuala na h-àrd-chomanndairean ann an Lunnainn mun t-suidheachadh a thaobh an luchd-tàrrsainn leònte, chaidh aonad-ospadail a chur air bòrd bàta Aimeireaganach, ach cha leigeadh na Ruiseanaich leotha an t-aonad a chur ri chèile air tìr oir cha robh bhìosa aca airson seo a dhèanamh. Chaidh dà thrian de sgioba an aonaid-ospadail dhachaigh agus chuir an trian eile ospadal air dòigh ann an Vaenga, 18 mìle bho Mhurmansk. Bha an t-ospadal ann an seann taigh-feachd.

An dèidh seo bha còmhraidhean ann aig an ìre as àirde eadar Churchill agus Stalin,[37] le Churchill ag ràdh na dhòigh smiorach fhèin: "No hospitals. No convoys." Chaidh ospadal a chur air dòigh ann an Vaenga anns an Dàmhair 1942 agus bha e a' ruith suas dhan Iuchar 1945. Anns an ùine sin chaidh dèiligeadh ri 149 daoine a dh'fhuiling bho ionnsaighean Gearmailteach agus 470 neach air an robh galaran. B' e Lannsair Comanndair Lt McEwan a' chiad oifigear meidigeach os cionn an ospadail seo. B' àbhaist dha a bhith ag obair air loidhnearan ron chogadh. Ga chuideachadh bha oifigear air an robh Robert Dougall. An dèidh a' chogaidh bha e gu math ainmeil mar fhear-leughaidh nan naidheachdan air a' BhBC. Chaidh a chur dhan Ruis air sgàth 's gun do rinn e cùrsa Ruiseis leis a' BhBC. Aig toiseach a' chogaidh bha e na àrd neach-innsidh aig a' BhBC agus b' e a ghuth-san ann an 1939 a dh'inns dhan t-saoghal gun robh Breatainn a-nis a' cogadh ris a' Ghearmailt. Chaidh e dhan Chabhlach Rìoghail ann an 1942.[38]

Bha e na dhùbhlan misneachd an luchd-obrach anns an ospadal a chumail suas agus le sin bha consairtean aca agus geamaichean ball-coise. Thuirt aon aithisg, le beagan aoir, gun robh barrachd air an leòn a' cluich ball-coise na bha air an leòn leis na Gearmailtich. Bha tòrr measail air sgitheadh agus cha robh sin gun chunnart na bu mhotha. Bhris oifigear fiaclaireachd a chas a' sgitheadh agus b' fheudar dha a dhol air ais a Mhosgo airson leigheas.

10

A' GHEARMAILT AGUS LOCHLANN

Bha an Kriegsmarine (Càbhlach na Gearmailt) air a bhith ag iarraidh puirt dhaibh fhèin air taobh tuath Lochlainn o chionn fhada. Anns a' Chogadh Mhòr eadar 1914-1918 fhuair oifigearan cabhlach na Gearmailt briseadh-dùil uair is uair o nach robh slighe fhosgailte dhaibh a-mach dhan chuan mhòr. Bha Breatainn air gach slighe anns a' Chuan a Tuath eadar Eileanan Shealtainn agus costa Nirribhidh a dhùnadh do na Gearmailtich le raointean mhèinnichean agus bàtaichean-faire. Agus, leis an innleachd seo chùm iad bàtaichean-U agus longan-cogaidh na Gearmailt anns na puirt aca, gun chothrom aca briseadh a-mach dhan Atlantaig a Tuath. Cha b' urrainn do bhàtaichean-marsantachd Gearmailteach gluasad na bu mhotha agus le sin bha dìth bìdh na thrioblaid mhòr do shluagh na Gearmailt air sgàth 's mar a bha cabhlach Bhreatainn a' cuairteachadh nam port Gearmailteach.

Eadar an dà chogadh, chnuasaich oifigearan an Kriegsmarine air an duilgheadas seo agus thàinig iad dhan cho-dhùnadh gum feumadh a' Ghearmailt ionadan fhaighinn ann an Nirribhidh. Bhriseadh seo balla-casg mhèinnichean sam bith a chuireadh Breatainn air dòigh agus leigeadh e le bàtaichean-U na Gearmailt agus na soithichean cogaidh eile aca, Breatainn fhèin a chuairteachadh.[39]

Bu bheag an t-iongnadh, ma-thà, nuair a thòisich an cogadh ann an 1939 gun do chuir Admaral Rolf Carls ìmpidh air Admaral Raeder ann an litir an dèidh litir gum bu chòir dhan Ghearmailt a dhol a-steach a Nirribhidh gus smachd fhaighinn air oirthir na dùthcha sin. Thòisich còmhraidhean eadar an Ruis agus a' Ghearmailt air a' ghnothach – oir bha an Ruis air taobh na Gearmailt aig toiseach a' chogaidh – agus dh'aontaich an Ruis cuideachadh a thoirt dhaibh.

Thug e ùine mus do dh'aontaich Hitler ris a' phlana, ach anns an Dàmhair 1939 ghabh e ris airson diofar adhbharan:[40] bha an geamhradh a' tighinn; bha a' Ghearmailt an eisimeil clach-iarainn bhon t-Suain airson nam fùirneisean-stàilinn aca (bha a' Ghearmailt den bheachd gum feumadh iad 11 millean tunna de chloich-iarainn anns a' chiad bhliadhna den chogadh); agus, am mìosan brèagha an t-samhraidh bha a' chlach-iarainn seo air a giùlan à taobh tuath na Suain sìos Camas Bothnia agus tarsainn a' Bhaltaig dhan Ghearmailt. Cha robh trioblaid sam bith leis an t-slighe seo, oir chan fhaigheadh Breatainn faisg orra. Ach, anns a' gheamhradh, cha b' urrainn dhaibh an t-slighe-mhara seo a chleachdadh air sgàth na deigh. Le sin dh'fheumadh a' chlach-iarainn a bhith air a giùlan ann an carbadan-rèile do Narvik, port ann an Nirribhidh a bha faisg air làimh, agus an uair sin ann am bàtaichean-marsantachd a chùm dlùth ris an oirthir. Agus, air sgàth is gun robh na Gearmailtich a' siubhal ann an uisgeachan neo-phàirteil Nirribhidh, cha mhòr fad an turais, cha b' urrainn do Bhreatainn losgadh orra.

Dh'atharraich cùisean nuair a thug an Ruis ionnsaigh air an Fhionnlainn air an 30mh den t-Samhain 1939. Chuir an Fhraing agus Breatainn feachd air dòigh gus muinntir na Fionnlainn a chuideachadh. Cha robh ach aon dòigh ann dhan Fhraing agus do Bhreatainn Fionnlainn a ruigheachd, agus b' e sin tro Nirribhidh agus an t-Suain. Thuig Hitler sa bhad, nan dèanadh an caidreachas an gnothach ann an Nirribhidh, gun stadadh a' chlach-iarainn a thighinn dhan Ghearmailt. Agus, cuideachd, bhiodh cothrom aig Breatainn agus an Fhraing gluasad air aghaidh bhon tuath agus gu cinnteach cha robh e ag iarraidh a bhith a' sabaid air front eile. Chùm Admaral Raeder air ag innse do Hitler cho cudromach 's a bha e Nirribhidh a ghabhail thairis.

Mar a thachair, fhuair a' Ghearmailt cuideachadh mòr bho mhàidsear ann an arm Nirribhidh: Màidsear Vidkun Quisling.

Thàinig am facal 'quisling' gu bith bho ainm an duine seo agus sìos dhan latha an-diugh tha ainm air a chleachdadh, cha mhòr anns gach cànan a tha ann, na cho-fhacal airson brathadair. B' e neach-poilitigeach agus neach-airm a bha ann an Quisling agus thug e cuideachadh do Hitler. Bha e na phrìomhaire air Nirribhidh bhon Ghearran 1942 gu 1945. Chaidh a chur gu bàs anns an Dàmhair 1945 air casaidean gun do bhrath e Nirribhidh agus gun robh e ri foill agus mort.

Thug Hitler greis mus do ghluais e a-steach a Nirribhidh. Ach, thug dà thachartas brosnachadh dha gluasad a-steach anns a' Ghiblean 1942 ionnsaigh a rinn Breatainn taobh a-staigh uisgeachan tìreach Nirribhidh air 17 Gearran; agus aithrisean a bha a' tighinn gu Hitler gun robh an Fhraing agus Breatainn dol a chuideachadh na Fionnlainn an aghaidh na Ruis anns a' Mhàrt, le 57,000 saighdear a sheòladh à Alba agus a rachadh tro Nirribhidh agus an t-Suain dhan Fhionlainn.

B' e a' chiad tachartas a sheall dha gun robh Breatainn dàna gu leòr airson gluasad a-steach a Nirribhidh. Bha soitheach-solarachaidh Gearmailteach an *Altmark* a' tilleadh dhan Ghearmailt nuair a chaidh fhaicinn le plèana-spotair a' seòladh gu deas. Bha fios aig riaghaltas Bhreatainn gun robh mu 300 maraiche Breatannach air bòrd, prìosanaich cogaidh bho bhàtaichean a bha an *Graf Spee* air a chur fodha. Dh'òrdaich Churchill flotilla de mhilleadairean a dhol a-steach gu uisgeachan Nirribhidh gus na prìosanaich a shaoradh. Chaidh ceathrar Ghearmailteach a mharbhadh agus còignear a leòn ann an Josing Fjord tuath air Stavanger. Chuir seo an caothach air Hitler. Bha fios aige cuideachd gun cuireadh muinntir Nirribhidh fàilte air feachd à Breatainn nan tigeadh iad.

Agus le fiosrachadh a' tighinn gu cluasan Hitler gun robh Breatainn agus an Fhraing deiseil saighdearan a chur a-steach gu Lochlann, thuig e gum feumadh e gluasad gus Nirribhidh a ghabhail thairis. Sin a rinn e air 9 Giblean 1940 agus sin an t-adhbhar gun robh raointean-laighe agus puirt Lochlainn fo làimh nan Gearmailteach agus comasach air

ionnsaighean a thoirt air JW51B agus na conbhoidhean eile nuair a
bha iad a' seòladh gu Murmansk agus Archangel.

Prìomh phuirt Ghearmailteach ann an Nirribhidh. Mar as trice, b' iad
Hammerfest agus Kirkenes na puirt às an do dh'fhàg na soithichean
Gearmailteach airson ionnsaigh a thoirt air na conbhoidhean.

11

HMS *ACHATES* A' FÀGAIL GHUIREIG

Diluain, 21 Dùbhlachd, 1942

Tràth anns a' mhadainn, chaidh Oifigear an Leabhair Dhìomhair (*the Confidential Book Officer*) aig HMS *Achates* air tìr. Choisich e suas an rathad gus na còdan agus na saidhfearan a chleachdadh iad air a' bhòidse fhaighinn. An-dè, cha robh fios aig duine dè an ceann-uidhe a bha romhpa. An-diugh, an dèidh 10 uairean a thìde de dh'obair-phàipeir agus de phlanadh, bha a h-uile sìon deiseil. Seo mar a bha an Cabhlach Rìoghail ag obair ann an àm cogaidh.

Chaidh an naibheagaitear suas an rathad cuideachd. B' esan Fo-lioftanant Coinneach Highfield, balach òg a bha dìreach air a phreantasachd a choileanadh le P&O. Bha esan a' dol gu Tasglann nan Cairtean-iùil far am faigheadh e mapaichean agus teachdaireachdan-Q. ('S iad teachdaireachdan-Q am fiosrachadh as ùire air na slighean tro raointean-mhèinnean Bhreatainn, agus cuideachd – ma bha iad rim faighinn – na slighean tro raointean-mhèinnean na Gearmailt.)

Aig 09:00, bha Lioftanant Comanndair A.H.T. Johns air drochaid HMS *Achates*. Choimhead e a-null gu na beanntan air taobh thall Chluaidh. Bha iad fhathast dorcha, ged a chitheadh tu soilleireachadh an latha air an cùlaibh. Ghluais e gu làimh chlì na drochaid is thug e sùil air a' Ghuireig – an cnoc cruinn a thug ainm dhan a' bhaile. Gu h-ìosal air a' chidhe bha na docairean a' feitheamh gu foighidneach. Thug Comanndair Johns an t-òrdugh am bàta a leigeil ma sgaoil is ghluais i gu socair on chala.

Air an deireadh sheachdain, bha an cidhe air a bhith loma-làn stòran: croganan de dh'fheòil, de shilidh, agus de bhainne milis; ìm, is flùr, is tì, is còco (no *kai* mar a bha aig na seòladairean air). Bha Oifigear Solarachadh Bìdh ann an Glaschu fiù 's air cearcan-Frangach a chur air bòrd airson biadh na Nollaig.

Chaidh connadh agus armachd a chur air bòrd mu cheithir seachdainean air ais, cho luath 's a ràinig i an cala an dèidh a bhith ag obair ann an Gibraltar. Bha seo na chleachdadh aig a' Chabhlach Rìoghail nuair a thigeadh soitheach-cogaidh dhachaigh. Fhuair an criutha cothrom a dhol air fòrladh an uair sin. Bha iad a-nis air ais 's deiseil gus conbhoidh eile a dhìon.

Ged a bha cead aca, cha deach mòran den chriutha air tìr an oidhche mus do sheòl i. B' e oidhche na Sàbaid a bha ann agus b' e seo an cothrom mu dheireadh a bhiodh aca litrichean agus cairtean Nollaig a chur dhachaigh. B' e Daibhidh MacDhòmhnaill à Bhatarnais san Eilean Sgitheanach aon den fheadhainn a sgrìobh dhachaigh an oidhche Shàbaid ud. B' e balach laghach a bha ann an Daibhidh. Nuair a bha e san sgoil ann an Bhatarnais, fhuair e duais leabhair airson an sgoilear a b' fheàrr le càch. Chanadh criutha an *Achates* cuideachd gum b' e gille bàigheil, onarach a bha ann.

Cha robh dad a b' fheàrr le Daibhidh na bhith ag obair air a' chroit leis a' chù, 's a' cuideachadh a phàrantan le obair an fhearainn agus le oifis a' phuist a bha aca ann an Lusta. Bha athair Dhaibhidh a' ruith tagsaidh agus gu tric bhiodh Daibhidh ag obair

Daibhidh air a' chiad latha-trèanaidh

timcheall a' chàir nuair nach robh e ag obair air na rathaidean airson Comhairle na Siorrachd. Bha e 22 bliadhna a dh'aois is cliobhar gu leòr airson a bhith ag obair ann an caban ràdair an *Achates* còmhla ri dithis eile, fear à Manchester agus fear à Lunnainn.

Dear Mother,

Just a few lines in a hurry to let you know I'm well. Hoping you are the same. I'm sure you were hearing from Mary [David's sister] that's why I wasn't writing so often. I think this will be my last letter for a while so you can still write as usual. I hope you are hearing from John [his brother] and that he is doing all right. I hope you managed to get the corn stack in o.k. I'll have to close now for want of news. If Mary will get married before I come back send her £1 from me as a present.

Cheerio meantime

Love,

David

Bha an dòigh chàirdeil, shocair aige ri fhaicinn san litir a sgrìobh e dhachaigh oidhche na Sàbaid mus do sheòl am bàta.

Bha cuid ann a chaidh air tìr an oidhche mus do sheòl an *Achates* airson deoch a ghabhail còmhla ann an taigh-sheinnse. Nam measg bha Coinneach MacÌomhair a bhuineadh do Thàbost, Nis, ach a bha pòsta ann an Tolstadh bho Thuath. Coltach ri mòran eile an oidhche ud, bha faireachdainn aige gur dòcha nach tilleadh e. Is cinnteach gun robh seo air sgàth an dà chonbhoidh mu dheireadh dhan Ruis air an robh e, PQ17 agus PQ18 anns an deach mòran a chall.

An litir mu dheireadh a sgrìobh Daibhidh.
Bho chruinneachadh teaghlach Dhaibhidh MhicDhòmhnaill.

Seo mar a sgrìobh George Charlton, seòladair eile air an *Achates* e:

Having already done two convoys to Russia, I did not relish another.

I had had leave and told my parents about my forebodings which were that something awful was going to happen, but not to the extent that we were soon to experience. I did not think that we would get away with it three times running. After the hammering we had had on PQ18, our luck could not be that good — it must run out sometime.

Bha Coinneach MacÌomhair air an aon dòigh. Bha an fhaireachdainn nach tilleadh e cho làidir 's gun do dh'fhàg e Eilean Leòdhais agus a bhean agus a bhalach latha na bu tràithe na dh'fheumadh e. Bha e airson coinneachadh ri Màiri, piuthar a bhean, ann an Dùn Èideann. Ghabh iad biadh còmhla agus an uair sin choisich iad gu Stèisean *Waverley* far am faigheadh Coinneach trèan a Ghlaschu agus an uair sin a Ghuireag.

Nuair a ràinig Coinneach agus Màiri caraids an trèana ann an Dùn Èideann, chaidh e air bòrd, dh'fhosgail e an uinneag agus thuirt e ri Màiri, "Chan eil fhios an till mise, ach dèan thusa cinnteach gun seall sibh an dèidh an leanaibh." Cha robh Iain, am balach aig Coinneach, ach bliadhna a dh'aois.

Anns an taigh-sheinnse ann an Guireag, bha eileanaich às gach ceàrnaidh còmhla. Agus, air sàilleibh is gun robh Coinneach, aig aois 38 bliadhna, rud beag na bu

Coinneach MacÌomhair

shine na an fheadhainn eile, dh'èirich e agus thuirt e, "Seo an drama mu dheireadh a bhios againn air tìr. Tha mi an dòchas gum bi sinn còmhla an dèidh a' bhòidse a tha seo. Here's to Murmansk!" B' àbhaist do Choinneach a bhith anns na Sìophortaich is bha e eòlach gu leòr air deoch-shlàinte a thogail. Bha cleachdadh aig na Sìophartaich nuair a ghabhadh iad an drama mu dheireadh gun tionndaidheadh iad agus gum briseadh iad a' ghlainne anns an àite teine. Agus sin a rinn Coinneach. Thill e fhèin agus a charaidean dhan t-soitheach, seòladairean a bha mar bhràithrean, deiseil airson a dhol gu Murmansk sa mhadainn.

Cha deach a h-uile duine a chaidh air tìr gu taigh-seinnse ge-tà. Bha Peyton Jones, an ath dhuine fon Chomanndair A.H.T. Johns, air tìr ro ochd uairean sa mhadainn. Cha robh e ach 24 bliadhna a dh'aois agus bhuineadh e do Eileanan Caolas Shasainn. Bha athair air a bhith na chomanndair air milleadair anns a' Chiad Chogadh.

A' mhadainn Shàbaid ud, bha a' Chiad Lioftanant Loftus E Peyton Jones agus a charaid Eric Marland, an ath dhuine fo Peyton Jones, air a bhith anns an eaglais faisg air mullach cnoc Ghuireig. Chòrd faclan agus foirm na seirbheis riutha. Bha iad mar fhèatha ann an stoirm. Fòdhpa chitheadh iad bàta an dèidh bàta air acair, làn de bhathar de gach seòrsa. Bha an conbhoidh seo à taobh thall na h-Atlantaig air ruigheachd Disathairne. B' e sealladh misneachail is truasail a bha ann is fios aig an dithis gun deach an còigeamh pàirt den chonbhoidh a chur fodha agus aon mhilleadair nèibhidh a bha gan dìon.

Na b' fhaide den latha, ghabh Loftus Peyton Jones cothrom eile a dhol air tìr. Bha e airson coinneachadh ris a' bhanacharaid aige, mus fhalbhadh e. Bha May anns na Wrens agus air an sioft aice a chrìochnachadh. Bhiodh i a' cumail sùil air siognailean eadar conbhoidhean agus Rùm nan Opairèiseanan. Le sin, bha fios aice ciamar a bha cùisean a' dol do gach conbhoidh. Bha iad air eòlas a chur air a chèile aig dannsa anns an *WRENery* na bu tràithe anns a' bhliadhna nuair a bha e air PQ16, a' chiad chonbhoidh aige dhan Ruis.

Bha an dithis aca den aon ghnè – còir agus coibhneil. An dèidh a' chogaidh, sgrìobh Seoc Fincham, a bha na Chief Petty Officer air an *Achates*, mu Loftus:

'Jimmy the one' was the name the 'lower deck' men referred to the first lieutenant on any ship. He seemed to be a quiet man with a kindly and considerate attitude toward the men and was well-liked. He had all the attributes needed to mould the ship's company into a very efficient fighting unit. Being the senior-ranking officer he was responsible to the captain (although the senior officer, he was most likely the youngest) for the well-being and running of the ship.

A-nis air madainn Diluain, 21 Dùbhlachd 1942 bha gach seòladair air bòrd agus na ceanglaichean aca ri tìr-mòr air cur air chùl.

Chaidh an *Achates* tro gheata a' bhoom a bha eadar Rubha na Cloiche agus Dùn Omhain. Bha i a' leantainn cop geal rotal HMS *Bulldog*, milleadair nèibhidh eile a bha a' dìon a' chonbhoidh. Ann am beagan lathaichean, bhiodh an dà shoitheach seo a' coinneachadh longan-cogaidh eile faisg air Innis Tìle.

Ghreasaich an t-astar aig *Achates* agus bha i a-nis a' siubhal aig 18 knots (21mph). Bha obair ri dhèanamh air an t-slighe: bha an deic a b' àirde ri ullachadh airson turas-cuain; ròpan sàbhalaidh rin cur air dòigh; na lìn-sreapa airson nan daoine a bhiodh air an sàbhaladh à bàtaichean eile rin dèanamh cinnteach; agus trèanadh gus am biodh gach neach eòlach air na bha aca ri dhèanamh ann an àm èiginn. Bha an obair sin dèante mus deach iad seachad air Creag Ealasaid agus b' i a' cheist ann an iomadh inntinn am faiceadh iad a' Chreag a-rithist.

Na b' fhaide air an t-slighe, dh'iarr Lioftanant Comanndair Johns air Lioftanant Peyton Jones agus an naibheagatair, fo-lioftanant Coinneach Highfield tadhal air sa chaban fon drochaid.

Bha Johns airson bruidhinn riutha mu na h-òrduighean-seòlaidh a fhuair e. "A' chiad rud a dh'fheumas sinn a dhèanamh," thuirt Johns, "'s e a bhith ann an Seidisfjord airson na 23mh den Dùbhlachd. An sin coinnichidh sinn ris na milleadairean eile." B' iad na milleadairean eile *Oribi, Obedient, Obdurate,* agus *Orwell* agus còmhla ri *Achates* agus *Bulldog* bha iad a' dèanamh suas an 17mh Flotilla de Chabhlachd na Dachaigh. Cha robh an *Achates* a' dol a thadhal air Loch Iùbh air an rathad suas.

Chùm Comanndair Johns air leis an fhiosrachadh aige, "An uair sin, an dèidh connadh fhaighinn bhon tancair *Scottish American,* coinnichidh sinn ri Conbhoidh JW51B ceud gu leth mìle an ear air Innis Tìle." Bhiodh a' mhòr-chuid de JW51B a' dol gu Murmansk air taobh tuath na Ruis le sia soithichean a' dol na b' fhaide dhan ear do Archangel.

Criutha an *Achates* ann an 1942 bho chruinneachadh teaghlach Dhaibhidh MhicDhòmhnaill

12

CONBHOIDH JW51B A' FÀGAIL LOCH IÙBH

Dimàirt, 22mh Dùbhlachd, 1942

Tha Loch Iùbh air costa iar-thuath na h-Alba agus mu 50 mìle tuath air Caol Loch Aillse. Chaidh Loch Iùbh a thaghadh gu cùramach leis a' Chàbhlach Rìoghail an dèidh call mòr ann an Caolas Scapa air oidhche 13-14 Dàmhair 1939. An oidhche ud fhuair am bàt'-aiginn Gearmailteach U-47 seachad air an dìon ann an Arcaibh agus leig i às na torpedothan aice, a' bualadh an t-soithich-chogaidh mhòir HMS *Royal Oak*. Chaill 834 daoine am beatha.

An dèidh ionnsaigh U-47, cho-dhùin an Cabhlach Rìoghail gum feumadh iad acarsaid na bu shàbhailte a lorg. Anns a' Ghearran 1941, chaidh Loch Iùbh a thaghadh mar àite-cruinneachaidh airson a' Chabhlaich Rìoghail agus nan conbhoidhean oir bha Cluaidh ro fhada air falbh on Ruis agus on Chuan a Tuath. Bha Inbhir Ghòrdain agus Ros Fhìobha fosgailte do ionnsaighean on adhar agus o bhàtaichean-aiginn agus ged a bha leasachaidhean a' dol air adhart ann an Caolas Scapa, cha robh iad faisg air a bhith deiseil.

Bha Loch Iùbh deiseil ge-tà agus gu math freagarrach. Thug e fasgadh bho ghèiltean on iar. Bha e còig mìle a dh'fhaid agus trì mìle tarsainn – mòr gu leòr airson soithichean conbhoidh a chleachdadh mar acarsaid. Aig beul an locha, bha *boom* le geata agus siostam mhèinnichean airson dìon a thoirt an aghaidh bhàtaichean-U.

Aig cairteal an dèidh a dhà feasgar Dimàirt, 22mh Dùbhlachd, bha conbhoidh JW51B le 14 bàtaichean-marsantachd a' dèanamh deiseil airson na slighe fada gu Murmansk. Anns a' chonbhoidh bha

2,046 carbadan, 202 tanc, 87 plèanaichean-cogaidh, 33 bomairean, 11,500 tunna de chonnadh-carbaid, 12,650 tunna de chonnadh-plèana agus 54,321 tunna de charago measgaichte.

Bàtaichean-Marsantachd Caidreabhach ann an Conbhoidh JW51B
1. *Ballot* (Panama)
2. *Calobre* (Panama)
3. *Chester Valley* (US)
4. *Daldorch* (UK)
5. *Dover Hill* (UK)
6. *Empire Archer* (UK)
7. *Empire Emerald* (UK)
8. *Executive Valley* (US)
9. *Jefferson Myers* (US)
8. *John H. B. Latrobe* (US)
9. *Pontfield* (UK)
10. *Puerto Rican* (US)
11. *Ralph Waldo Emerson* (US)
12. *Vermont* (US)
13. *Yorkmar* (US)

Feachd-dìon Dlùth
- HMS *Bramble*
- HMS *Hyderabad*
- HMS *Rhododendron*
- HMT *Vizalma*
- HMT *Northern Gem*

Feachd-dìon a' Mhòr-chuain
- HMS *Onslow*
- HMS *Obedient*
- HMS *Obdurate*
- HMS *Oribi*
- HMS *Orwell*
- HMS *Achates*

Feachd-dìon Chrùsairean	Feachd-dìon Cèin
• HMS *Jamaica*	• HMS *Anson*
• HMS *Sheffield*	• HMS *Cumberland*
• HMS *Matchless*	• HMS *Blankney*
• HMS *Opportune*	• HMS *Chiddingfold*
	• HMS *Forester*
	• HMS *Icarus*
	• HMS *Impulsive*

B' e tuairmse oifis na h-aimisir gum biodh gèiltean ann le uisge trom nan cois. Bhuaileadh iad taobh an iar agus iar-thuath na h-Alba. Anns an loch, bha sèinichean nam bàtaichean a' glagadaich is a' bocadaich, is bha uèirichean nan crann a' sgreuchail. Bha tuairmse oifis na h-aimsir ceart.

Bha sligean nan 14 bàtaichean-marsantachd air am peantadh glas agus bha breacadh meirge orra an siud 's an seo. Cha b' e seo a' chiad turas a bha iad air a bhith ann an conbhoidh. An coimeas ris na milleadairean nèibhidh caol, seang a bha rin taobh, bha na bàtaichean-marsantachd a' coimhead reamhar, mar gun robh cus cuideim orra. Bha iad air an togail airson bathar a ghiùlan is cha b' ann airson astar. Ann an àm cogaidh bha astar cudromach ach ann an àm sìth cha robh e cho riatanach. Cha dèanadh am bàta-marsantachd a bu luaithe ach 11 knots (13mph), agus cha dèanadh a' mhòr-chuid dhiubh ach a naoi. Is dòcha le beagan brosnachaidh gum faigheadh na h-einnseanairean mìle-mara no dhà a bharrachd asta.

Bha slacadaich nam bratach anns a' ghaoith nimheil a' cur ann an cuimhne gach seòladair gur e an geamhradh a bha ann, agus gun robh iad a' dol gu àite na b' fhuaire 1,600 mìle air falbh. Ged a bha gach bratach salach bho shùith nam funailean agus bhon dòrtadh uisge a bha ann, dh'aithnicheadh tu gun robh ceithir bàtaichean ann le sròl dearg Cabhlach Marsantachd Bhreatainn, naoi le sròl rionnagach, srianach nan Stàitean Aonaichte, agus aon à Panama le dà cheathramh gheal, aon cheathramh gorm agus aon cheathramh dearg. Bha rionnag anns gach ceathramh geal – aon dhiubh gorm agus tèile dearg.

A bharrachd air bratach na dùthcha, bha bratachag eile le dà àireamh oirre. Bha a' chiad àireamh ag innse colbh a' bhàta anns a' chonbhoidh, agus an dara àireamh àite a' bhàta anns a' cholbh. Mar eisimpleir, bha bratachag le 23 sgrìobhte oirre a' sealltainn gun robh am bàta sin anns an dara cholbh den chonbhoidh agus anns an treas àite.

Thog na bàtaichean na h-acraichean aca. Bha an aimsir air socrachadh rud beag. Aon an dèidh a chèile dh'fhàg na soithichean Loch Iùbh 's iad trom len cuid bathair. Chaidh iad tro gheata a' *bhoom* ann an sreath a bha barrachd air dà mhìle a dh'fhaid. An dèidh greis, bha an conbhoidh gu lèir sa Chuan Sgìth ann an dà cholbh. Chaidh iad seachad air taobh tuath Leòdhais le Rubha Robhanais air a' bhòrd chlì agus a' Pharbh gu deas-bhòrd.

A-mach às a' Chuan Sgìth agus anns a' chuan fhosgailte cha robh na comharraidhean cho math. Bha sgòthan dorcha a' cruinneachadh. Bha suailichean mòra na h-Atlantaig a' marcachd a-steach on iar. Bha an fhairge a' fàs greannach is am marcan-sìne a' leum à mullach nan tonn. Bha a' ghaoth gheur bho bheanntan reòthte Ghrionnlainn a' sìor fhàs na bu làidire. Bha JW51B aig toiseach a thurais gu Murmansk, 1,600 mìle air falbh.

Bha na 'Western Escort Group Destroyers' *Blankney, Chiddingfold, Ledbury,* agus am bàta sguabaidh-mhèinnichean *Circe* gu bhith còmhla ris na bàtaichean-marsantachd bho Loch Iùbh suas gu costa an ear Innis Tìle agus an uair sin thilleadh iad a dh'Alba. Nan àite thigeadh na bàtaichean dlùth-dhìon a bhiodh còmhla riutha fad na slighe gu Murmansk. B' iad sin na corbhaitean *Hyderabad* agus *Rhododendron,* am bàta sguabaidh-mhèinnichean *Bramble,* agus na tràlairean *Vizalma* agus an *Northern Gem.*

Bha na milleadairean *Obedient, Oribi, Orwell,* agus *Obdurate* aig an àm sin fhèin a' toirt connadh air bòrd ann an Seidisfjord agus bha *Achates* agus *Bulldog* air an t-slighe bho Ghuireag gu Innis Tìle. Ann am beagan ùine, bhiodh an *17mh Destroyer Flotilla*, uile còmhla airson JW51B a dhìon fad na slighe dhan Ruis. Bha àrd-chomanndair a' chonbhoidh, Caiptean Sherbrooke, air an *Onslow*.

Aig 13:00, uair agus trì cairteal mus do thog an conbhoidh acair, chaidh Robin Aveline Melhuish air bòrd SS *Empire Archer*, am bàta aig Caiptean Maughan. Bha Melhuish na chomodoir air na 14 bàtaichean-marsantachd ann an Conbhoidh JW51B agus bha an SS *Empire Archer* na phrìomh shoitheach marsantachd sa chonbhoidh a chionn 's gun robh an Comodoir agus am buidheann de luchd-taic aige oirre.

Mus deach Melhuish air bòrd bha e aig co-labhairt ann am bothan fiodha air tìr còmhla ri Caiptean Raibeart St Vincent Sherbrooke. Bha Sherbrooke air teachdaireachd fhaighinn bho Admaral Tovey latha ron sin a thàinig ann an saidhfear tron telepriontair:

Convoy JW51B 16 ships. Sail from Loch Ewe 22nd December. Speed of advance 7 ½ knots routed as follows…Escort Loch Ewe, HMS *Bramble* (S.O. M/S Flotilla) *Blankney*, *Ledbury*, *Chiddingfold*, *Rhododendron*, *Honeysuckle*, *Northern Gem*, *Vizalma*.

'Conference a.m. 22nd December which Captain D17 [Captain Sherbrooke] will also attend, subsequently proceeding independently in HMS *Onslow* to Seidisfjord. *Oribi*, *Obedient*, *Obdurate*, *Orwell*, *Bulldog*, *Achates*, to arrive Seidisfjord p.m. 23rd December.

Captain D17 is to sail with these destroyers to join convoy in Position C. When destroyers join, Hunts ['Hunt' class destroyers *Blankney*, *Ledbury*, and *Chiddingfold*.] are to remain with convoy to prudent limit of endurance and then return to Seidisfjord…

B' e seann teaghlach a bha anns na Sherbrookes is iad air a bhith a' fuireach ann an Oxton Hall, Newark, Siorrachd Nottingham on 15mh linn. Bha an Cabhlach Rìoghail san fhuil aca. Bha athair agus seanair Caiptean Sherbrooke air a bhith nan oifigearan sa Chabhlach Rìoghail roimhe. Air taobh a mhàthar bha cairdeas ann ri Admaral Sir John Jervis, a choisinn an tiotal Iarla St Vincent an dèidh dha blàr a bhuannachadh còmhla ri Nelson far *Cape St Vincent*, Portugal ann an 1797.

Bha Caiptean Raibeart St Vincent Sherbrooke 41 bliadhna a dh'aois. Duine àrd, caol le falt a thionndaidh geal ro thràth. Socair na dhòigh agus eanchainn gheur-chùiseach, ealanta air. Cha robh e air a bhith na chomanndair air HMS *Onslow* ach airson ceithir seachdainean agus seo a' chiad turas aige air 'the Russian run'.

Anns a' bhothan air cladach Loch Iùbh, dh'inns Sherbrooke na planaichean aige airson an turais gu Murmansk. Anns an èisteachd bha caipteanan nam bàtaichean-marsantachd a bhiodh a' giùlan a' bhathair, agus na caipteanan nèibhidh a bhiodh gan dìon.

"Air sgàth is gum bi uairean an dorchadais fada aig an àm seo den bhliadhna," mhìnich Sherbrooke, "bidh ionnsaighean-mara nas coltaiche na ionnsaighean-adhair. Le sin, ma nochdas an Kriegsmarine, gluaisidh *Onslow*, *Obedient*, *Oribi*, *Orwell*, agus *Obdurate* bho bhith air gach taobh den chonbhoidh dhan taobh far a bheil na Gearmailtich."

Bha Sherbrooke den bheachd gun tigeadh na Gearmailtich orra bho dheas, bho na puirt ann an Nirribhidh. Chùm e air: "Cuiridh *Achates* agus *Bulldog* ceò sìos anns an ionnsaigh agus feumaidh iad gluasad eadar an nàmhaid agus an conbhoidh. Anns a' cheò, fo chomannd Comodoir Melhuish, tionndaidhidh an conbhoidh air falbh.

"Feumaidh sinn an nàmhaid a chumail air ar cùl. Bidh aig *Bramble*, *Hyderabad*, agus *Rhododendron* dlùth-dhìon a chumail air a' chonbhoidh agus bidh na tràlairean armaichte *Northern Gem* agus an *Vizalma* còmhla riutha. Chan eil mi smaoineachadh gun tig an nàmhaid on deas, ge-tà."

Bhruidhinn Comodoir Melhuish an dèidh Sherbrooke. Dh'inns e do na caipteanan càit an robh gach bàta-marsantachd anns a' chonbhoidh. B' e 'Route Green' ainm na slighe a bha aig Conbhoidh JW51B ri leantainn gu Murmansk. Thug e na seachd puingean-turais airson na slighe dhaibh. Bha iad a' ruith bho A gu H. Bheireadh na puingean-turais iad tuath air Alba, suas gu Innis Tìle, tarsainn gu Cuan Ghraonlainn agus an uair sin gu Muir Bharents. An dèidh sin, thionndaidheadh iad gu deas agus a-staigh dhan Gheodha Kola agus Murmansk. B' e Murmansk an aon phort air taobh siar na Ruis a bha saor o dheigh fad na bliadhna.

Bha muinntir Mhurmansk an dòchas gun ruigeadh an conbhoidh gu sàbhailte tràth anns a' bhliadhn' ùir. Is e sin mura cumadh gèiltean mòra a' gheamhraidh air ais iad, no na h-ionnsaighean a dh'fhaodadh a thighinn bho na Gearmailtich às an adhar, no bho uachdar na mara, no fon uisge. Bha cruaidh-fheum aig an Ruis air a' charago de charbadan, thancaichean, phlèanaichean-cogaidh agus bhomairean ann an creataichean; de chonnadh airson charbadan agus phlèanaichean; agus de chargo coitcheann (biadh is eile).

Leis na stoirmean mòra a bhiodh aca sa gheamhradh, thigeadh suailichean coltach ri sgurran a' Chuilthinn. Ged a bha e an comas do na crùsairean siubhal cho luath ri 32 knots (37mph) dhèanadh suailichean mar seo tàir oirre agus bhiodh aca na h-einseannan mòra 75,000 h.p. ìsleachadh gu 8 knots (9mph). Thilgeadh na tuinn an 10,000 tunna a bha ann an crùsair na b' fhasa na thilgeadh lùth-chleasaiche cabar aig na geamannan ann am Port Rìgh. Dh'fhaodadh na gaothan an conbhoidh seo a shèideadh mar mholl gu na ceithir àirdean. Mar bu trice sa gheamhradh, bheireadh an turas gu Murmansk eadar deich agus dusan latha, ach leis na stoirmean agus leis na h-ionnsaighean a dh'fhaodadh a thighinn orra, dh'fhaodadh an turas maireachdainn lathaichean a bharrachd.

Aig deireadh na coinneimh, bha Sherbrooke agus Melhuish riaraichte gun robh iad air na dleastanasan aca a choileanadh. Bha iad air innse dè na h-òrduighean oifigeil a bha aca airson a' chonbhoidh agus dè am plana a bhiodh ann nan tigeadh ionnsaigh orra.

Ach, bha aon duine anns a' bhothan fhiodha ann an Loch Iùbh nach robh riaraichte – b' esan an Caiptean A.V Radcliffe, RNR, Naval Control Service Officer. Ged a bha e air geallaidhean fhaighinn bhon Admiralty gum biodh gach bàta a thigeadh a-staigh gu Loch Iùbh deiseil airson turas conbhoidh JW51B, cha b' ann mar sin a bha. Bha bàtaichean air ruigheachd a bha feumach air càradh agus stòran. Bha e air taic air choreigin a thoirt do gach bàta ann an JW51B ach na dhà. Mar eisimpleir, bha carago air deic an *Executive* a bha millte is bha feum aice air glasraichean agus 65 tunna de dh'uisge. Dh'fheumadh an *Ralph Waldo Emerson* 150 tunna de dh'uisge agus na combaistean agus an echo sounder a bhith air an càradh. Agus, bha trioblaid aig an *Dover Hill* leis a' chriutha agus an einnsean. Bha na rudan seo a' cur strèan air na goireasan aige. Ach, mar bu dual dha, bha an Caiptean Radcliffe air a h-uile rud a chur air dòigh mus do sheòl an conbhoidh aig cairteal an dèidh a dhà feasgar Dimàirt.

B' e an t-òrdugh a fhuair Sherbrooke anns an *Onslow* dèanamh air Seidisfjord cho luath ris a' ghiomach. Le sin chaidh e air thoiseach air a' conbhoidh gus coinneachadh ris na milleadairean eile anns an 17mh Flotilla a bha feitheamh ris ann an Innis Tìle.

Bha fios aige cuideachd gur e dìth cadail aon de na nàimhdean bu mhotha a bhiodh aig a' chriutha aige, agus bha e airson Seidisfjord a ruigheachd cho luath 's a ghabhadh gus am faigheadh iad deagh oidhche-cadail air an 23mh. Le sin chaidh *Onslow* suas tron Chuan Sgìth a Tuath aig 25 knots (29mph). Ach, bha a' ghlainne a' tuiteam agus cha b' fhada gus an robh a' ghaoth a' sèideadh aig 50 knots (58mph) – ìre gèile.

Chùm *Onslow* oirre. Bha a toiseach a' plumadaich sìos gu bonn nan tonn agus ag èirigh suas mar mhuc-mhara mhòr, a beul làn sàil. Bha Sherbrooke agus an naibheagaitear a' cumail sùil fad na tìde gus dèanamh cinnteach gun robh iad a' siubhal aig astar a bha sàbhailte.

13

HMS *ACHATES* ANN AN GÈILE

Diciadain, 23 Dùbhlachd, 1942

An ath latha, Diciadain, aig 05:00 bha a' ghaoth air èirigh gu làn-ghèile. Le uspagan 55 knots (63mph) agus an còrr, bha *Onslow* ann an cunnart a druim a bhriseadh. B' fheudar do Sherbrooke an t-astar a lùghdachadh bho 25 knots (29mph) gu 20 knots (23mph); cha b' ann airson a' bhàta a-mhàin, ach cuideachd airson nan seòladairean a bha gu h-ìosal. Bhiodh iadsan a' faighinn pronnadh gach turas a thuiteadh am bàta ann an tulg-tuinn. Shoirbhich le Sherbrooke agus ràinig e Seidisfjord a' seachnadh a' chuid bu mhiosa den ghèile. Cha deach cho math do *Achates* no *Bulldog* a bha a-nis a' dol a bhith latha air deireadh.

Seo mar a sgrìobh Loftus Peyton Jones a bha air bòrd HMS *Achates* 22 Dùbhlachd:

The wind rose steadily during the night and by the time I took over the morning watch at 04:00 on the 22nd the ship was rolling heavily in a quartering sea. We were stationed about a mile abeam of *Bulldog*, still making a good sixteen knots (18mph), but beginning to yaw rather widely. When the Captain appeared a couple of hours later, it was clear that we should have to reduce speed and *Bulldog's* signal to come down to twelve knots (14mph) was gratefully acknowledged.

All that day we ploughed on under a grey, lowering sky, doing little except to try to keep ourselves warm and dry.

"On deck, it was sometimes hard to recognise who was who, muffled up as we were with scarves, balaclava helmets and a great variety of headgear. Layers of sweaters over woollen shirts and long-johns, beneath duffel coats or oilskins, made for somewhat cumbersome movement and just getting about the ship as she corkscrewed through the heavy seas was quite an effort in itself. Green waters swept over the foc'sle and, cascading against the superstructure, sent showers of freezing spray across the bridge. Passage from fo'd to aft along the iron deck became more and more hazardous, even with the help of hanging strops which ran along the wire jackstays rigged on either side, and eventually had to be forbidden altogether, thus effectively separating one end of the ship from the other[41]

Gu h-ìosal bha seòladairean a' tulgadh air ais is air adhart anns na hamagan aca. Bha an teas aig ìre chofhurtail gu leòr leis an t-siostam cheò-theasaichte ach thigeadh spùtain uisge an-dràsta is a-rithist a chionn is gun robh am muir a' faighinn a-steach tro haitsean agus fosglaidhean gaothrachaidh a bu chòir a bhith dìonach. Ann an seòmar an einnsein agus ann an seòmar a' ghoileadeir dh'fheumadh na seòladairean gluasad gu faiceallach, ach bha iad blàth co-dhiù agus le bhith gu h-ìosal ann am meadhan a' bhàta cha robh iad a' faireachdainn toinneamh agus caran a' bhàta mar a bhiodh an fheadhainn aig toiseach no deireadh a' bhàta.

Dh'fhàs an aimsir na bu mhiosa gus mu dheireadh dh'fheumadh iad an soitheach a stad agus a ceann a chumail ann. Bha an dà bhàta a-nis nan stad agus cha ruigeadh iad Innis Tìle ann an àm.

Seo mar a sgrìobh Peyton Jones mu chùisean air an 23mh:

…the next morning found us hove to just riding out the storm, all hope of passage making was abandoned for the time being. By then, the wind had increased to Force 12 (78mph) and the seas risen to a height which I had never seen before – nor ever have done since. Sometimes it seemed impossble for the ship to climb the oncoming wave and one had to hang on tight as the bow rose steeply into the air, but somehow the sharp flared foc'sle would force its way through to the other side and the stern would go up like a lift as the bows plunged down into the next trough.

Ach, cha b' e *Achates* ach *Bulldog* bu mhotha a dh'fhuiling. Bhuail muir mòr i iomadh turas agus chaidh na h-eathraichean aice nan spealgan, chaidh cuid de na gunnaichean a mhilleadh, agus bha dòm an asdic aice air a bhogadh.

An dèidh 24 uairean a thìde a' feuchainn ri a ceann a chumail ann, bha Caiptean a' *Bhulldog* fhathast a' siognaileadh:

Hove to in position 180 *degrees*, Stokness Light [Innis Tìle] 8 miles, *Achates* in company. Southerly gale, force 12…

Bha *force* 12 a' ciallachadh gun robh a' ghaoth a' sèideadh aig barrachd air 64 knots (74mph). Is e deireadh na sgeòil gun robh *Bulldog* air a milleadh cho dona is gum b' fheudar dhi tilleadh a Ghuireig airson càradh. Chaill *Achates* a bràigh-chrann, ach chaidh seo a chàradh nuair a ràinig i Seidisfjord.

Ach bha barrachd air cùl sgeulachd na *Bulldog*. Bha *Bulldog* air stad mar a rinn *Achates*, ach smaoinich comanndair a' *Bhulldog* gun robh a' ghaoth a' socrachadh agus thuirt e gun cumadh esan air. A rèir a' nabhaigeatair agus a' Chiad Lioftanant, dh'fheuch iad ri comhairle a thoirt dhan chomanndair ùr, nach robh eòlach air a' bhàta no air an Atlantaig. Thuirt iad ris gun robh an cùrsa gu Seidisfjord a' dol tarsainn muir borb. Cha do dh'èist an caiptean agus dh'àrdaich e astar a' bhàta. Seo mar a dh'aithris Eric Read, an nabhaigeatar:

> The inevitable happened and *Bulldog* charged into the gale… Most small ships have a breakwater on the forecastle as they normally ship a lot of water in bad weather at speed, and the breakwater just guides the water sideways back into the ocean. In our case the sea was too big, the speed too fast, with the result that the breakwater was just swept back, taking some five feet of the forecastle deck with it, rather like opening a sardine tin. The crew's quarters were swamped and indeed the ship was unsafe…

Bha àireamh nam milleadairean a bha a' dol a dhìon Conbhoidh JW51B a-nis sìos gu sia, air sgàth fear nach do ghabh comhairle.

Dh'fhuiling an conbhoidh fhèin call anns an stoirm. B' fheudar do *Dover Hill* tilleadh is i air a milleadh leis an droch shìde agus trioblaid le goileadair. Bha àireamh nam bàtaichean-marsantachd ann an conbhoidh JW51B air a dhol sìos gu 13.

14

MAR A CHAIDH JW51B AINMEACHADH

Bha dà chonbhoidh ann dhan Ruis air an robh JW51. B' iad JW51A agus JW51B. Bha adhbhar ann gun deach na conbhoidhean ainmeachadh mar seo.

Thòisich na conbhoidhean dhan Ruis anns an Lùnastal, 1941, air sgàth Churchill, Stalin, agus Roosevelt – agus nàmhaid an triùir ceannard sin, Adolf Hitler. Bha fios aig Roosevelt agus Churchill gu feumadh Stalin cumail a' strì leis na Gearmailtich air an taobh an ear gus nach biodh cothrom aig Hitler na saighdearan agus an armachd sin a chleachdadh anns an iar.

Air 14 Lùnastal, 1941 sgrìobh Roosevelt agus Churchill an litir seo gu Stalin:

> We are at the moment cooperating to provide you with the very maximum of supplies that you most urgently need. ... We realise how vitally important to the defeat of Hitlerism is the brave and steadfast resistance of the Soviet Union and we feel therefore that we must not in any circumstances fail to act quickly and immediately in this matter of planning the program for the future allocation of our joint resources.
>
> Franklin D. Roosevelt
> Winston S. Churchill

Ach an dèidh an sgrìos a rinneadh air conbhoidh PQ17 anns an Iuchar 1942, bha Churchill airson fuireach gus an tigeadh an geamhradh nuair a bhiodh barrachd dorchadais ann, mus cuireadh e conbhoidh eile. As t-samhradh anns an Artaig cha mhor gun robh oidhche ann, agus bha sin a' cuideachadh nan Gearmailteach anns na h-ionnsaighean a thug iad air na conbhoidhean. Mhair sgrios PQ17 barrachd air seachdain agus a-mach à 35 soithichean marsantachd, cha do ràinig an Ruis ach 11 dhiubh. Chaidh 153 seòladairean a mharbhadh.

An dèidh PQ17, sgrìobh Churchill e fhèin gu Stalin air 17 Iuchar, 1942 ag radh:

My naval advisers tell me that if they had the handling of the German naval surface, submarine and air forces, in present circumstances, they would guarantee the complete destruction of any convoy to North Russia…it is therefore with the greatest regret that we have reached the conclusion that to attempt to run the next convoy PQ18 would bring no benefit to you and would involve only dead loss to the common cause."[42]

Cha do ghabh Stalin ri seo idir agus sgrìobh e air ais:

Our naval experts consider the reasons put forward by the British naval experts to justify the cessation of convoys to the northern ports of the USSR wholly unconvincing. They are of the opinion that with goodwill and readiness to fulfill the contracted obligations these contracted obligations could be regularly undertaken and heavy losses inflicted on the enemy.

Sgrìobh Churchill an dèidh a' chogaidh anns an leabhar aige *The Second World War*:

> I did not think it worthwhile to argue out all this with the Soviet Government, who had been willing until they themselves were attacked to see us totally destroyed and share the booty with Hitler, and who even in our common struggle could hardly spare a word of sympathy for the heavy British and American losses incurred in trying to send them aid.

Ach b' e duine practaigeach a bha ann an Churchill agus thuig e gun robh feum aig an Ruis air taic. An dèidh coinneachadh ri Stalin ann am Moscow anns an Lùnastal 1942, agus le cuideam a' tighinn bho Roosevelt, thug Churchill cead do PQ18 seòladh à Loch Iùbh air 2 Sultain, 1942.

Eadar 12-21 Sultain thug na Gearmailtich ionnsaighean air PQ18 le bomairean, bomairean-torpedo, bàtaichean-U agus mèinnichean. Chuir iad fodha 13 soithichean a-mach às na 44 bàtaichean a dh'fhàg Loch Iùbh. Ràinig conbhoidh PQ18 Archangel air 21 Sultain 1942.

Bha e follaiseach gun robh e fàs doirbh na conbhoidhean mòra a dhìon. Le sin nochd feallsanachd gum biodh e na bu shàbhailte na conbhoidhean a dhèanamh na bu lugha gus am biodh cothrom na b' fheàrr aig na soithichean-marsantachd a thighinn às gu slàn sàbhailte. Agus an àite 30 soitheach a bhith ann an PQ19, roghnaich na h-ùgdarrasan gum biodh dà chonbhoidh ann – JW51A agus JW51B.

Sheòl JW51A le 16 bàtaichean-marsantachd air 16 Dùbhlachd, 1942 agus le deagh fhortan agus deagh aimsir ràinig iad Murmansk air 25 Dùbhlachd, gun aon Ghearmailteach fhaicinn agus gun chall sam bith.

Cha deach cùisean cho math do Chonbhoidh JW51B ge-tà. Bha turas mì-chofhurtail aca suas gu costa Innis Tìle air sgàth fìor dhroch aimsir. Is cinnteach gun robh e na bu mhiosa do na bàtaichean-marsantachd na bha e do shoithichean a' Chabhlaich Rìoghail. Bha na bàtaichean-marsantachd reamhar agus làn bathair, nan suidhe san uisge mar threud de hippopotamusan. A bharrachd air an tulgadh a fhuair iad anns an droch mhuir, bha dìle bhàite ann agus bha a' ghaoth a' tighinn orra bhon chùl. Air bòrd an SS *Empire Archer*, bha ceò agus sùith bhon fhunail a' sruthadh sìos seachad air an drochaid fhosgailte. Bha gach maraiche air an drochaid cho dubh ri ceann-simileir.

15

A' COINNEACHADH CONBHOIDH JW51B

Diardaoin, 24 Dùbhlachd, 1942

Ràinig an *Achates* Seidisfjord aig 11:30 Diardaoin, 24 Dùbhlachd agus bha i a-nis còmhla ris na còig milleadairean eile. Chaidh an *Achates* dhan 'oiler' gus a lìonadh le connadh mus deach i gu acair aig ceann a' gheodha a bha a-nis air fàs dùmhail leis na soithichean a bha air cruinneachadh. Bha cothrom aig criutha an *Achates* an cuid aodaich a thiormachadh agus am bàta a chàradh.

Fhad 's a bha sin a' dol air adhart chaidh an Caiptean Tyndale Johns a-null gu *Onslow* far an robh na Comanndairean eile a' coinneachadh agus a' bruidhinn air planaichean airson an turais gu Murmansk.

Dh'fhuirich Peyton Jones air an *Achates* agus thadhail fear, Lioftanant Lewis King air. Sgrìobh Peyton Jones an dèidh làimh:

> Bha e a' sireadh beagan de na rudan milis agus tlachdmhor a thug sinn leinn à Cluaidh oir bha am bàta aigesan a' dol a ghabhail am biadh-Nollaig aca an oidhche sin fhèin.

Fhuair e deagh chuibhreann, ach chùm Peyton Jones air ais na dh'fheumadh e airson criutha an *Achates* gus am faigheadh iadsan an dinnear aca fhèin nuair a ruigeadh iad Murmansk. Bha bhòt ann agus roghnaich seòladairean an *Achates* fuireach gus an ruigeadh iad cala anns an Ruis. Bha faireachdainn ann gun còrdadh dinnear Nollaig riutha na b' fheàrr an dèidh strì agus strèan an turais a bhith seachad. Agus bha iad cho sgìth, fliuch an-dràsta gur e leabaidh agus beagan cadail a bha a h-uile duine ag iarraidh mus seòladh iad an oidhche sin fhèin.

Sheòl Caiptean Sherbrooke, an t-àrd-oifigear os cionn nam milleadairean, à Seidisfjord ann an HMS *Onslow* aig 23:00. Bha e a' dol a choinneachadh ri JW51B mu 150 mìle far costa Innis Tìle an ath latha, latha na Nollaig. Aig 23:20 bha *Onslow* agus na milleadairean eile seachad air a' bhoom agus aig muir – bha na còig dhiubh ann an aon loidhne no 'following father' mar a bha aig na seòladairean air. Bha a' ghaoth air socrachadh agus bha na fir-chlis a' dannsadh anns an oidhche Artach.

Bha còta dufal, sgarf, agus ceap air Caiptean Sherbrooke is e na sheasamh air an drochaid. Ri thaobh bha Lt Peter Wyatt, an nabhaigeatar, agus bha oifigear eile a' cumail faire. Bha e an-còmhnaidh doirbh faire a chumail air an oidhche. A bharrachd air a bhith sgìtheil, bha e doirbh na bàtaichean eile fhaicinn. A rèir nan riaghailtean, bu chòir gach bàta trì caballan (mu 250m) a chumail eadar iad fhèin is am bàta air thoiseach orra. Anns an dorchadas, cha robh deireadh bàta a' coimhead ach mar sheilcheag dhubh. Bha rotal geal a' bhàta na bheagan cuideachaidh ge-tà.[43]

Beagan an dèidh meadhan-oidhche, thàinig siognail bho Admiral Tovey:

> I estimate the position of main body JW51B at 08:00 25th based on an escort aircraft report as 065 14' north, 008 31' west, speed 7 knots. One or two groups of stragglers about 15 miles astern overtaking.

Gus dèanamh cinnteach nach fàilleachadh orra coinneachadh ris a' chonbhoidh, chaidh Sherbrooke agus na milleadairean den 17mh Flotilla seachad air far an robh còir aig JW51B a bhith. An uair sin thionndaidh iad air ais gus an conbhoidh a choinneachadh aghaidh ri aghaidh. Cha robh an conbhoidh ach mar spot beag anns a' chuan mhòr. Leis a' cheò a bha ann, chan fhaiceadh Sherbrooke agus am Flotilla ach trì mìle air thoiseach orra. Air sgàth sin, sgaoil e a-mach na còig soithichean-cogaidh ann an sreath, le gach soitheach trì mìle bho a nàbaidh. Bha an t-sreath bhàtaichean a' sìneadh a-mach 15 mìle is bha e comasach dhaibh an uair sin faire 21 mìle a chumail.

Bha siostam faire air bàtaichean-cogaidh. Bhiodh cuid de na seòladairean air an comharrachadh mar luchd-faire agus bhiodh arc-faire eadar-dhealaichte air a thoirt do gach aon gus an cuan a sgrùdadh gu mionaideach. Cha d' fhuair na h-oifigearan-faire a bha air an drochaid arc. Bha acasan ri coimhead air thoiseach orra tro phrosbaigean. Gu fortanach, bha a' ghrian air cùl a' chonbhoidh agus shoilleiricheadh i bàtaichean a' chonbhoidh don Flotilla aig Sherbrooke. Ach bhiodh e doirbh aiteal dhiubh fhaighinn. Cho fada tuath ri seo, cha bhiodh a' ghrian ag èirigh ach aon phuing os cionn na fàire aig meadhan-latha, agus cha bhiodh solas an latha ann ach bho 11:00 gu 16:00.

Dihaoine, 25 Dùbhlachd, 1942

Aig 14:30 air latha na Nollaig, chunnaic neach-faire ann am Flotilla Sherbrooke an conbhoidh le 13 bàtaichean dhan iar-dheas agus e a' seòladh gu tuath aig 8 knots (9mph). Thòisich na lampaichean-sanais a' priobadh is chaidh teachdaireachd a chur bho bhàta gu bàta. Thionndaidh Sherbrooke an 17mh Flotilla timcheall dhan iar-dheas agus sheòl iad a dh'ionnsaigh conbhoidh JW51B.

Choinnich iad an conbhoidh 150 mìle an ear-thuath air costa Innis Tìle. Gus dìon a chumail air JW51B, chaidh Sherbrooke anns an *Onslow* air thoiseach air Comodoir Melhuish. Chuir e na milleadairean *Orwell* agus *Oribi* gu taobh clì a' chonbhoidh agus *Achates* aig a' chùl air an taobh chlì. Chuir e *Obedient* agus *Obdurate* gu deas-bhòrd.

Air cùl a' chonbhoidh, bha HMS *Rhododendron*, HMT *Northern Gem* agus HMT *Vizalma*. Bha iadsan an sin airson dèiligeadh ri bàtaichean-aiginn Gearmailteach agus airson cobhair a thoirt nam bualadh torpedo ann an gin de na soithichean. Chaidh HMS *Bramble* agus HMS *Hyderabad* aig an robh seataichan ràdar fìor mhath a chur air thoiseach air a' chonbhoidh 's bha iad ag obair mar phiceidean, a' coimhead a-mach airson an nàmhad. Bha dà shoitheach eile aig muir cuideachd, an long-chogaidh *Anson* agus an crùsair *Cumberland*. Bhiodh iadsan a' toirt dìon suas gu Bjørnøya (Bear Island) a bha mu 1000 mìle air falbh. An dèidh Bjørnøya bhiodh na crùsairean *Sheffield* agus *Jamaica* a' gabhail thairis. Bha iadsan an-dràsta ann an Geodha Kola Inlet faisg air Murmansk. A bharrachd air seo bha bàtaichean-aiginn Breatannach agus Caidreabhach a' cumail faire cuideachd. Bha iad ann an sreath fhada a bha a' sìneadh timcheall oirthir a tuath agus oirthir an iar Nirribhidh. Bha iadsan nan dìon an aghaidh nan longan-cogaidh mòra aig na Gearmailtich a bha suidhichte ann an Altenfjiord, Narvik, agus Trondheim.

Air an latha seo cuideachd, bha na milleadairean HMS *Blankney*, HMS *Ledbury* agus HMS *Chiddingfold* a' dol a thilleadh a rèir òrdugh a thàinig bho Admiral Tovey air 19 Dùbhlachd:

> After leaving convoy, HMS *Blankney* return Scapa for repairs to compass, HMS *Ledbury* and HMS *Chiddingfold* to Loch Ewe.

Bha na trì milleadairean nèibhidh sin air a bhith còmhla ris a' chonbhoidh on a dh'fhàg e Loch Iùbh air 22 Dùbhlachd. Chaidh na siognailean àbhaisteach a thoirt seachad eadar na soithichean a' guidhe gach soirbheachadh agus nuair a dh'fhalbh iad bha na 13 bàtaichean-marsantachd a-nis fo dhìon an 17mh Flotilla le Caiptean Sherbrooke os an cionn.

Gu slaodach, cinnteach sheòl an conbhoidh aig 8 knots (9mph) gu tuath. Bha bàtaichean dìon a' Chabhlaich Rìoghail a-null 's a-nall a' cumail faire mar chearcan am measg nan iseanan aca, na h-asdics aca a' pingeadh air eagal 's gun tigeadh ionnsaigh fon uisge bho thorpedo Gearmailteach. Bha sùilean sgìth a' cumail faire air uachdar na mara cuideachd air eagal 's gu nochdadh an Kriegsmarine no an Luftwaffe.

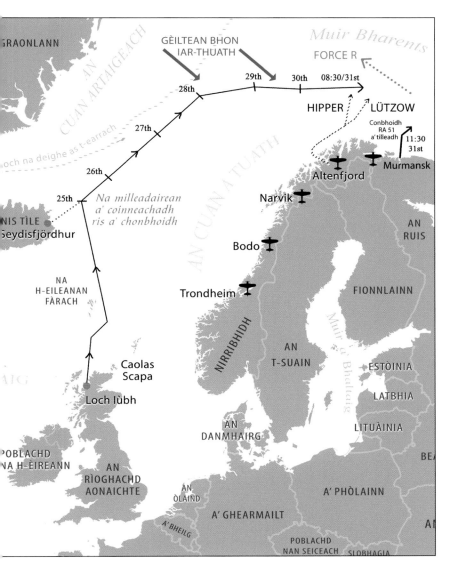

Na Milleadairean a' coinneachadh ris a' chonbhoidh 150 mìle
an ear-thuath air Innis Tìle, 25 Dùbhlachd, 1942

Short Sunderland S25–85' a dh'fhaid. Le taigh beag, sinc ionnlaid, ©
cùcair, agus sinc cidsin bha e na phlèan soghmhòr aig an àm. Bha
criutha de 12 oirre agus bhiodh i anns an adhar suas ri 14 uair a thìde.

Gun fhiosta do JW51B, bha itealan-spotair Gearmailteach air
an conbhoidh fhaicinn an latha ron Nollaig. B' ann air sgàth seo
gun robh Kapitänleutenant Herbschleb gan stalcadh ann an U-354.
Sgrìobh Herbschleb gun robh gealach dhèalrach, bhuidhe ann air
an oidhche Artach ud (24 Dùbhlachd) a thaisbean gu ro-shoilleir
na bàtaichean anns a' chonbhoidh.

Ach cha robh gach itealan a chunnaic an conbhoidh nan
Gearmailteach. Air latha na Nollaig chunnaic *Liberator*, bomair
cian-ruigse, bho Coastal Command an conbhoidh. Nuair a chaidh e
seachad air an *Onslow* mar eun mòr, chuir seòladair teachdaireachd
thuige le lampa-sanais ag innse domhan-leud agus domhan-fhad
a' chonbhoidh agus an t-astar aige. Bha an conbhoidh a' leantainn
cùrsa 320° dhan iar-thuath aig astar 8.5 knots (10mph). Bha JW51B
a-nis air taobh a-staigh Cearcall na h-Artaig.

Nuair a thill an *Liberator* a dh'Innis Tìle, chuir e am fiosrachadh mun chonbhoidh dhan Admiralty ann an Lunnainn. Le sin cha robh aig Comanndair Raibeart Sherbrooke tostachd rèidio a bhriseadh. Bha seo cudromach oir cha chleachdadh Sherbrooke an rèidio ach ann an àm fìor èiginn – nam faiceadh iad soitheach Gearmailteach, mar eisimpleir. Nam feumadh na soithichean anns a' chonbhoidh bruidhinn ri chèile, chleachdadh iad an rèidio, ach aig neart gu math ìosal gus nach togadh an nàmhaid an transmisean. Fiù 's aig a sin bha cunnart ann gun togadh bàta-U teachdaireachd ma bha e faisg air làimh. Ach, cha thogadh an nàmhaid air tìr-mòr Nirribhidh teachdaireachd bhon chonbhoidh ma bha an rèidio aig neart ìosal.

Goirid an dèidh dhan *Liberator* falbh, thàinig *Catalina*, bàta-sgiathalaich, is chaidh sin cuideachd timcheall a' chonbhoidh a bha a-nis a' gluasad gu dòigheil. Ach bha aon rud a' cur dragh air Comodoir Melhuish. Is e sin gun robh an SS *Empire Archer* a' cur a-mach cus ceò.

Bha an *Empire Archer* a' losgadh gual agus bha am funail aice ìosal. Leis a' ghaoith a bha tighinn on chùl bha an ceò a' ruith gu toiseach a' bhàta far an robh an drochaid. Thug seo casadaich air na seòladairean agus bha an sùilean a' sruthadh. Ach na bu mhiosa, chan fhaiceadh an criutha air an drochaid air thoiseach orra leis a' cheò bhon fhunail. Bha cunnart ann cuideachd gum faodadh an ceò innse dhan nàmhaid far an robh an conbhoidh, oir chitheadh tu ceò na b' fhaide air falbh na chitheadh tu cumadh bàta. Ach, cha robh dad a b' urrainn prìomh-innleadair a' bhàta a dhèanamh – b' e droch ghual a bha ag adhbhrachadh a' cheò a rèir coltais.

Bha an ìre-teòthachd air tuiteam gu mòr on shèol an conbhoidh seachad air Cearcall na h-Artaig. Ach a dh'aindeoin an fhuachd agus a' chruadail, bha na seòladairean a' cumail na misneachd aca suas. Air drochaid an *Empire Archer*, smoc fear Matthews siogàr airson na Nollaig aige. Is cinnteach gun robh smaointinn air a dhachaigh ann am Breatainn. Agus is cinnteach gun robh an teaghlach aige a' cuimhneachadh airsan a bha air an turas seo gu Murmansk.

16

TARSAINN CEARCALL NA H-ARTAIG

Disathairne, 26 Dùbhlachd, 1942

Aig meadhan-latha air 26 Dùbhlachd, bha an conbhoidh ann an suidheachadh 68°23' N, 6°32' W agus fhathast a' seòladh gu tuath. A chionn 's gun robh iad air a dhol tarsainn Cearcall na h-Artaig bha uairean na soilleireachad na bu ghiorra. Bha e na b' fhuaire cuideachd. A dh'aindeoin mheatagan agus mhiotain, bòtannan mara agus stocainnean clòimhe, bha e doirbh gun a bhith air do lathadh letheach slighe tro fhaire a bha maireachdainn ceithir

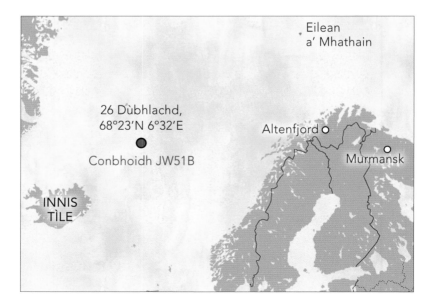

uairean a thìde. Agus an dèidh a bhith air faire, bha e a' toirt ùine mus tigeadh làmhan agus casan beò a-rithist gus am biodh e comasach do sheòladair suidhe sìos gu biadh no sìneadh a-mach anns a' bhunc aige gus beagan cadail a dhèanamh.

Bha na seòladairean uile a' fàs sgìth. B' ann ainneamh a bhiodh caipteanan agus nabhaigeatairean a' fàgail na drochaid. Le sin dh'fheumadh iad cothrom cadail a ghabhail nuair a b' urrainn dhaibh. Bha fios aca cuideachd gun robh iad dìreach aig toiseach 'an turas as cunnartaiche san t-saoghal' mar a bha aig Churchill air, agus gun robh naoi latha eile ann mus ruigeadh iad Murmansk.

A bharrachd air mèinn a chaidh fhaicinn le Comodoir Melhuish agus a chaidh a chur fodha leis an *Rhododendron*, bha an latha agus an oidhche an dèidh na Nollaig sàmhach.

Latha na Sàbaid, 27 Dùbhlachd 1942

Aig meadhan-latha, bha Conbhoidh JW51B a-nis 70°48'N agus 00°22'W agus a' gluasad aig 8 knots (9mph).[44] Bha an cuan fèathail ach mar bu dual bha i nimheil fuar. Mar a b' fhaide tuath a ghluais an conbhoidh b' ann bu lugha de sholas an latha a bha aca – is dòcha gum biodh a dhà no a trì uairean de sholas ann aig meadhan latha, ach solas a bha na bu choltaiche ris an t-solas a gheibheadh tu aig ciaradh feasgar geamhraidh air ais aig an taigh ann an Leòdhas no anns an Eilean Sgitheanach.

Air an latha seo cuideachd sheòl Admaral Burnett le *Force 'R'* bhon Gheodha Kola agus iad an dùil JW51B a choinneachadh is a dhìon air 29 Dùbhlachd. Bha Burnett air an crùsair HMS *Sheffield* agus bha HMS *Jamaica*, crùsair eile, còmhla ris. Cuideachd ann am *Force 'R'*, bha dà mhilleadair HMS *Musketeer* agus HMS *Matchless*. Mhothaich na Gearmailtich gun do dh'fhàg *Force 'R'* an Geodha Kola. Ach aon uair is gun robh 'Force R' ann am Muir Bharents cha d' fhuair plèanaichean-spotair lorg orra tuilleadh.

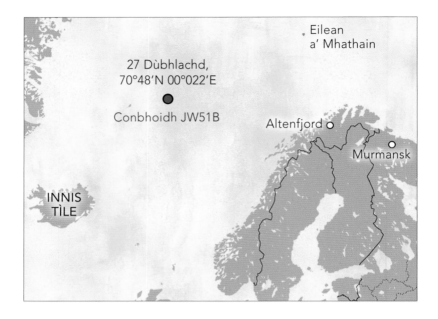

27 Dùbhlachd,
70°48'N 00°022'E
●
Conbhoidh JW51B

Eilean
a' Mhathain

Altenfjord ○

○
Murmansk

INNIS
TÌLE

Bha Admaral Oskar Kummetz, anns a' mhòr-chrùsair *An Admaral Hipper*, den bheachd gun robh *Force 'R'* air seòladh gus dìon a thoirt do Chonbhoidh JW51A, a bha a-nis air ainmeachadh RA51 airson an turais dhachaigh. Bha RA51 fhathast anns a' Gheodha Kola agus a' dèanamh deiseil airson tilleadh dhachaigh air 30 Dùbhlachd an dèidh turas fàbharach le 16 bàtaichean-marsantachd a dh'fhàg Loch Iùbh air 15 Dùbhlachd. Bha Kummetz ceart gu ìre oir bha Burnett a' dol a thoirt dìon dhan dà chonbhoidh aig an aon àm.

Admaral Oscar Kummetz

120

ADMIRAL HIPPER—CA1

DIVISION OF NAVAL INTELLIGENCE—IDENTIFICATION AND CHARACTERISTICS SECTION—JULY, 1942

HEIGHT OF OBSERVER

150	150
135	135
120	120
105	105
90	90
75	75
60	60
45	45
30	30
15	15

SHIP BEYOND THE HORIZON

0

HORIZON BEYOND THE SHIP

LENGTH 655' OA—639'-9" WL
BEAM 69'-11"
DRAFT 15'-5" (MEAN)

DISPLACEMENT
10,000 TONS (STANDARD)

ARMAMENT

8-8" TWIN TURRETS
12-4:1 (D.P.)

12 (PLUS) A.A.
12-21" TORPEDO TUBES (TRIPLES)
1 CATAPULT, 3 SEAPLANE SCOUTS

MAX. ELEV.
70°
(SLANT)

RANGE
17,000 YD.

PROTECTION

BELT—4" ESTIMATED
TURRETS
CONNING TOWER—2"
RANGEFINDERS—2"
DECKS—THIRD DECK—3¼"

DENSITY OF FIRE
MAIN BATTERY

36° 0° 36°

8

4 ← 4

8

145° 180° 145°

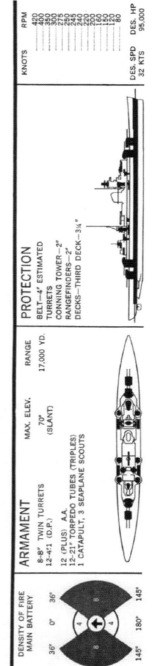

KNOTS	RPM
	420
	400
	350
	300
	275
	250
	245
	240
	220
	200
	160
	150
	120
	80

DES. SPD
32 KTS

DES. HP
95,000

Admaral *Hipper* – fiosrachadh

17

DOINNEAN AGUS DEIGH

Diluain 28 gu Dimàirt 29 Dùbhlachd, 1942

B' ann aig meadhan-latha a bhiodh an Cabhlach Rìoghail a' dèanamh tomhas air suidheachadh nan soithichean aca, agus air an 28mh aig 12:00 bha JW51B aig 72°35'N agus 4°20'E, air cùrsa 071°. Bha a' ghaoth air èirigh gu neart 7 (28-33 knots no 31-38mph) agus bha i a' tighinn bhon ear-thuath. Bha deigh a' cruinneachadh air acfhainn nam bàtaichean agus bha suailichean a' tulgadh nan soithichean gus am b' fheudar dhaibh an conbhoidh a shlaodachadh gu 6½ knots.

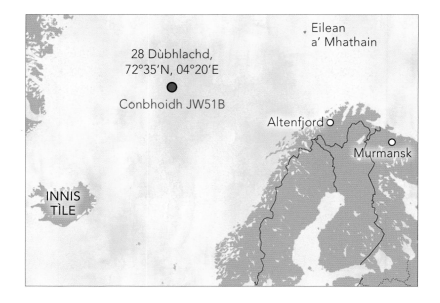

INNIS TÌLE

28 Dùbhlachd, 72°35'N, 04°20'E

Conbhoidh JW51B

Eilean a' Mhathain

Altenfjord

Murmansk

Seo mar a dh'inns Loftus Peyton Jones a bha air bòrd an *Achates*:

We enjoyed two days of reasonable weather before the wind started to rise once more. By the morning of Monday 28th it was blowing a good Force 7 from the west and steering and station keeping became very difficult. Achates rolled heavily in the quartering seas and as the spray came aboard it froze on superstructure, guns, decks and guardrails. We felt even sorrier for the smaller corvettes and trawlers whose decks were continually swept by green and greedy seas. All through those hours of twilight that passed for daytime, snowstorms swept across the convoy and visibility was often less than a cable [timcheall 200m]. Station keeping became a real nightmare and not a few near collisions resulted as ships did their best to stay in some sort of formation. The strain of bridge watch keeping under those conditions was the worst I have ever experienced and the only consoling thought was that the enemy must be suffering an equal degree of discomfort.[45]

Air oidhche an 28mh agus a-steach gu madainn 29mh Dùbhlachd, bhuail gèilichean làidir iad a-rithist. An turas seo bha a' ghaoth nimheil a' sèideadh às an iar-thuath 's i a bhith tuath (NNW) agus bha tulgadh na bu mhiosa ann. Dh'adhbhraich seo trioblaidean do chuid de na bàtaichean-marsantachd. B' fheudar do *Jefferson Myers* laighe thuige nuair a ghluais an carago-deice aice. Cha robh Comodoir Melhuish air a dhòigh agus thuirt e an dèidh làimh nach robh feum aig *Jefferson Myers* stad agus an t-àite aice a chall anns a' cholbh. B' e an trioblaid, na bheachd-san, gun robh an carago air a dhroch-luchdachadh. Air madainn 29mh ghluais carago-deice an *Daldroch* cuideachd.

Bho uair sa mhadainn gu meadhan-latha chan fhaiceadh luchd-faire bhuapa ach eadar trì càballan (mu 600m) agus 1½ mìle (2.77 km). Aig meadhan-latha bha cùrsa-ceàrna a' chonbhoidh 73°19'N, 11°45'E. Feasgar bha a' ghaoth air tuiteam agus b' urrainn dhan fheadhainn air faire faicinn bhuapa cho fada ri 10 mìle (18 km).

123

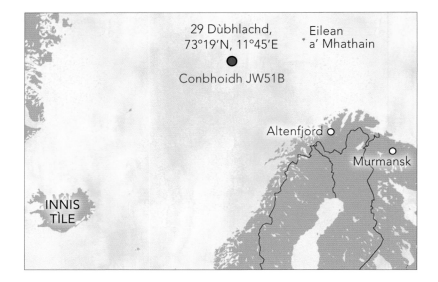

Bha an aimsir air socrachadh a-nis, ach cha robh ach naoi bàtaichean-marsantachd ri fhaicinn còmhla agus bha iad sin a-mach às na colbhan aca. Cha robh sgeul air an tràlair *Vizalma* no am milleadair *Oribi*. Air sgàth 's gun robh an uidheamachd ràdar aig *Bramble* na b' fheàrr na bh' aig a' chuid bu mhotha de na bàtaichean-dìon eile, chaidh an soitheach a chur a shireadh nam bàtaichean-conadail – na caoraich a bha caillte, mar gum biodh. Chaidh astar a' chonbhoidh a lùghdachadh gu 6 knots (7mph) gus am b' urrainn dhan fheadhainn a bha a-mach às na colbhan aca breith air a' chonbhoidh.

Tha Peyton Jones ag innse nuair a rinn iad cunntadh, gun robh faisg air an treas cuid den chonbhoidh a dhìth. Agus, bha an naoi a bha ri fhaicinn sgaoilte tarsainn raon mòr den chuan. B' e obair nam bàtaichean-dìon an trusadh ri chèile a-rithist. Bha an *Oribi* air chall cuideachd agus an dèidh làimh dh'inns i gun do dh'fhàilnig an 'gyro-compass' aice – rud a bhiodh a' tachairt cho fada tuath agus ann an àite a bha cho faisg air a' Phòla a Tuath. B' fheudar dhi seòladh leatha fhèin gu Murmansk, a' cumail na b' fhaisge na bu toigh leatha ri cladaichean Nirribhidh. Bhiodh ionndrainn oirre ann an ùine nach biodh fada.

Bha tunnaichean de dheigh air cruinneachadh air deicichean agus acfhainn nan long thairis air na beagan lathaichean a dh'fhalbh. Air rèile-dìon an *Achates* bha an deigh cho tiugh ri gàirdean duine. Seo Peyton Jones a-rithist:

> With all this additional top-weight the ship rolled sluggishly and until the guns, torpedo tubes, and depth-charge throwers could be freed we were clearly not an efficient fighting unit. Fortunately, on the following day, Wednesday 30th, the weather much improved and all not otherwise required were employed on chipping duties. But care was needed to maintain balance on the slippery decks and to avoid touching any bare metal with ungloved hands. By noon I was able to report to the Captain that we were once more ready for battle.[46]

Seòladairean a' briseadh na deighe air bòrd   © Mediadrumimages/Royston Leonard

18

WOLFSCHANZE – WOLF'S LAIR

Diciadain, 30 Dùbhlachd, 1942
Wolfschanze

Fad air falbh bhon Artaig ann am buncair ann an Rastenberg anns a' Ghearmailt, bha Hitler a' cumail coinneamh feasgair le àrd-oifigearan an Airm, an Luftwaffe, agus an Kriegsmarine. Gu h-iongantach, bha e a-mach air cho fada na b' fheàrr 's a bha Cabhlach Rìoghail Bhreatainn na bha an Kriegsmarine aige fhèin. Bha e a' gearan gun robh e comasach dhan Chabhlach Rìoghail seòladh tron Mhuir Mheadhanaich gun bhacadh. Cha robh a thrum ro mhath agus chùm e air ann an guth àrd:

> Chan fhiach an Cabhlach againne an coimeas ri Cabhlach Bhreatainn. Chan eil na longan-cogaidh deiseil airson obair; tha iad nan laighe anns na geodhan nan tàmh, gun fheum sam bith annta. Tha iad coltach ri seann chnapan iarainn.[47]

Bha Iarr-Admaral Krancke mì-thoilichte, ach chùm e smachd air a theanga. Nuair a dh'ainmich cuideigin aig a' choinneimh nach robh conbhoidhean a' gluasad gu Murmansk aig an àm sin, ghabh Krancke an cothrom pìos pàipeir a tharraing on mhàileid aige:

Tha mi dìreach air an siognail seo fhaighinn bho Roinn Opairèiseanan an Kriegsmarine!

Sgrìobhte air pìos pàipeir dearg leis an tiotal *'Dìomhair! Oifigearan a-mhàin'* agus an uair 13:45 air, bha an teachdaireachd seo a leugh Krancke:

U-boat reports by short signal a convoy 50 miles south of Bear Island, course 070°, speed 12 knots. Convoy consists of six steamers. Weak escort. Vice-Admiral Krancke inform Führer that C-in-C, Navy, approves in principle the operational use of the decision of Group North dependent on the fact that according to the existing information the escort with the convoy is not in fact superior.

Ghlac am fiosrachadh seo ùidh Hitler anns a' bhad agus dh'fhaighnich e:

An urrainn dhan fheachd againn ruigheachd ann an àm gus an conbhoidh a ghlacadh?

Thuirt Krancke gun robh e comasach agus dh'inns e dè cho fada air falbh bhon chonbhoidh is a bha na soithichean aige fhèin ann an Altenfjord, an t-astar a bhiodh aca, agus càit am biodh an conbhoidh nuair a ruigeadh feachd an Kriegsmarine. Shocraich an naidheachd seo droch-thrum Hitler.

Bheireadh e còig uairean a thìde airson an Admaral *Hipper* agus am mòr-chrùsair eile an *Lützow* a dhèanamh deiseil agus fhaighinn a-mach à Altenfjord. Bheireadh e 16 uairean a thìde mus beireadh iad air a' chonbhoidh mu 09:00 an ath mhadainn – Diardaoin, 31 Dùbhlachd. Agus, gu cudromach, bhiodh cothrom aca ionnsaigh a thoirt air JW51B ann an leth-sholas an latha.

Admaral *Hipper* ann an Nirribhidh 1942

Bha an structar aig na Gearmailtich airson òrduighean a thoirt seachad sàrachail. Seo Opairèisean Regenbogen (Operation Rainbow), am plana a bha aig an Kriegsmarine airson an ath chonbhoidh air an t-slighe gu Murmansk a sgrios – agus a-nis tha e follaiseach gur e JW51B a bha a' dol a bhith ann.

Dh'fheumadh Hitler ann am Wolfschanze a chead a thoirt airson *Regenbogen* (Rainbow) a chur an gnìomh. Seo mar a dh'obraich (no mar nach do dh'obraich) structar command airson Operation Rainbow:

1. Bha aig Riochdaire an Kriegsmarine ann am
   Wolfschanze, Admaral Theodore Krancke, ris an
   t-òrdugh a thoirt gu

2. Mòr-Admaral Raeder ann am Berlin, a thug an
   t-òrdugh gu

3. Admaral Rolf Carls, C-in-C *Gruppe Nord*, Kiel air
   taobh tuath na Gearmailt, a thug an t-òrdugh gu

4. Admaral Otto Klüber a bha os cionn nan Uisgeachan
   a Tuath. Bha esan suidhichte ann an Narvik, Nirribhidh.
   Thug Klüber an t-òrdugh gu

5. Iarr-Admaral Oskar Kummetz ann an Altenfjord.

Bha ceithir bàtaichean-U suidhichte far Bjørnøya (Bear Island),
agus bha ochd longan-cogaidh suidhichte ann an Altenfjord.
B' iad sin na crùsairean *Hipper*, *Lützow*, agus na sia milleadairean
– *Richard Beitzen*, *Theodor Riedel*, *Friedrich Echoldt*, Z29, Z30, agus
Z31.

Nuair a thigeadh brath mu chonbhoidh, sheòladh na
longan-cogaidh à Altenfjord ann an dà fheachd. Bheireadh aon
bhuidheann ionnsaigh air crùsairean dìon a' Chabhlaich Rìoghail
agus bheireadh buidheann eile ionnsaigh air a' chonbhoidh fhèin.

Bha Hitler air seòlaidhean teann a thoirt nach bu chòir do na
prìomh shoithichean, *Hipper* agus *Lützow*, iad fhèin a chur ann an
cunnart. Cuideachd, bha plana eile – Opairèisean Aurora – an lùib
plana Regenbogen. An dèidh crìoch a chur air Regenbogen, bha
Opairèisean Aurora ag iarraidh air an *Lützow* a dhol a-mach dhan
Atlantaig airson ionnsaighean a thoirt air bàtaichean-marsantachd.
Chan eil teagamh nach do chuir na seòlaidhean aig Hitler bacadh
air Admaral Kummetz agus air an fheachd aige a bhith dàna.

19

AN KRIEGSMARINE ANN AN ALTENFJORD

Mus tàinig am fios bhon Wolfschanze agus Berlin agus Kiel, bha Admaral Klüber air tomhas gum biodh Opairèisean Regenbogen air a chur air dòigh. Bha e air siubhal bho Narvik gu Altenfjord agus chaidh e air bòrd an crùsair *Köln* a bha tarsainn a' gheodha bho Kummetz. Air do Klüber teachdaireachd fhaighinn mun chonbhoidh bho U-354 mu thimcheall 12:42, thug e òrdugh do Admaral Kummetz anns an *Hipper*:[48]

Hipper and six destroyers – three hours' notice.

Bha othail air na Gearmailtich oir cha robh e na chleachdadh aca a bhith aig muir mar a bha na seòladairean Breatannach. Bhiodh seòladairean an Kriegsmarine air acair airson sheachdainean agus mhìosan anns na *fjords*, air an gearradh dheth bhon chuan mhòr. Ach a-nis bhiodh cothrom aca a dhol gu muir. Bha obair fhèin aig gach duine: nabhaigeataran a' cruinneachadh nan cairtean-iùil aca; einnseanairean a' cur ghoileadairean gu dol; siognailean a' dol a-mach ag iarraidh bhàtaichean-slaodaidh airson an *Hipper* agus an *Lutzow* gus cuideachadh a thoirt dhaibh an cidhe fhàgail; bha bàtaichean a bha a' sguabadh mhèinnichean a' dol a-mach gus mèinnichean a ghlanadh à beul a' gheodha; agus dh'fheumadh na lìontan a bha a' dìon nan soithichean Gearmailteach an aghaidh thorpedothan a tharraing air ais.

Dealbh den *Lützow* ann an Altenfjord

B' e Admaral Raedar ann am Berlin a chuir siognail do Admaral Carls:

> In view of the U-boat's short signal Naval Staff agrees in principle to Operation Rainbow. In addition examine possibility of operating Lützow in a separate operation.

Chuir Carls siognail do Klüber agus do Kummetz ann an Altenfjord:

1. *Kummetz with Hipper, Lützow, and six destroyers to operate against convoy JW51B[49] Operational command by Admiral Klüber.*

2. *Cover name 'Rainbow'. Sail as soon as possible. Report time.*

3. *Speed of JW51B between seven and twelve knots. Position of JW51B at midnight 31st [estimated] to be in the area between 75°30' and 71°30' north, 36° and 34° east.*

4. *It is desirable to capture single ships. There is to be no time wasted in rescuing enemy crews. It would be of value only to take a few captains and other prisoners with a view to interrogation. The rescue of enemy survivors by enemy forces is not desirable.*

5. *The operation is forbidden south of 70° north.*

6. *Contact with the Luftwaffe should be maintained with Admiral Klüber.*

Aig 14:10 chuir Kummetz siognail do Klüber:

Intend to pass through the net boom at Kaafjord at 17:00. Request to be told own U-boat situation.

Aig 14:30 thug bàta-motair Admaral Klüber agus na h-oifigearan aige air falbh bhon chrùsair *Köln* agus a-steach seachad air na lìontan-dìon a bha ceithir thimcheall an *Hipper.* Nuair a chaidh Klüber air bòrd an *Hipper,* fhuair e an spèis agus an fheadaireachd a bhios neach aig ìre Admaral a' faighinn.

Bha coinneamh gu bhith ann còmhla ri Admaral Kummetz, comanndair an *Hipper,* 's Caiptean Stange comanndair an *Lützow.* Cha robh na còmhraidhean ach air aon chuspair – JW51B agus a sgrios.

Bhruidhinn Klüber an toiseach ag ràdh, a rèir an fhiosrchaidh a bha aige, nach robh JW51B air a dhìon gu làidir. Is dòcha gun robh an dà chrùsair a dh'fhàg an Geodha Kola air 27 Dùbhlachd còmhla riutha, agus bha fios aige gun robh eadar a trì agus a ceithir bàtaichean-aiginn Breatannach aig muir.

Chùm Klüber air, ag innse gun robh na bàtaichean-aiginn aca fhèin, U-354 agus U-626, a' leantainn a' chonbhoidh. Dh'fheumadh grunnan uairean a thìde de sholas an latha a bhith ann gus làn fheum a dhèanamh de na gunnaichan aca. Cha bu chòir dhaibh torpedothan a chleachdadh ach ann an suidheachaidhean far am biodh iad cinnteach gum bualadh iad bàtaichean-marsantachd.

132

Admaral *Hipper* bhon adhar le lìn anti-torpedo timcheall oirre
Le cead bho Naval History & Heritage Command: Photo Section, Photo NH 110792

Thug Klüber seachad an rabhadh bho Hitler a-rithist – nach bu chòir do bhàtaichean mòra an Kriegsmarine iad fhèin a chur ann an cunnart. Bu chòir dhan *Hipper* agus an *Lützow* gu h-àraidh a bhith air am faiceall an aghaidh a' chunnairt a bha ann bho thorpedothan a' losgadh milleadairean a' Chabhlaich Rìoghail. Bhiodh e doirbh lorgan nan torpedothan fhaicinn anns an leth-sholas, dh'earalaich Klüber.[50] Sguir Klüber agus leig e le Admaral Kummetz innse ciamar a bha esan a' dol a dhèiligeadh ri JW51B.

Bhiodh an conbhoidh a' seòladh dhan ear, dh'inns Kummetz. Bhiodh an Kampfgruppe (Battle Group) a' seòladh ann an dà bhuidheann air leth bho chèile leis an *Lützow* 75 mìle gu deas air an *Hipper*. Aig 08:00 madainn an 31mh, thionndaidheadh an dà mhòr-chrùsair dhan ear gus an conbhoidh a shireadh bhon chùl. Bhiodh na trì milleadairean aig gach mòr-chrùsair 15 mìle bho chèile air thoiseach air a' mhòr-chrùsair aca. Bheireadh na bàtaichean-U a bha a' leantainn JW51B am fiosrachadh as ùire dhaibh an dèidh briseadh an latha.

Dhèanadh an *Hipper* a' chiad ionnsaigh on tuath. Bheireadh seo air na milleadairean Breatannach briseadh air falbh bhon chonbhoidh agus dh'fheumadh na bàtaichean-marsantachd tionndadh gu deas agus ruitheadh iad a-steach do ghunnaichean an *Lützow*. An dèidh Opairèisean Regenbogen a bhith seachad, dh'inns Kummetz, bhriseadh an *Lützow* air falbh bho na milleadairean aice agus sheòladh i leatha fhèin gus Opairèisean Aurora a chur an gnìomh.

Ged a bha Kummetz airson gun toireadh an Kampfgruppe ionnsaigh làidir air a' chonbhoidh, air cùl inntinn bha faclan dì-mhisneachail Hitler:

Procedure on meeting the enemy: avoid a superior force, otherwise destroy according to tactical situation.

Teachdaireachd Hitler ann no às, cha chuireadh caiptean sam bith a bha os cionn long-chogaidh mhòr am bàta aige ann an cunnart a dh'aona ghnothach. Le sin, bha Admaral Kummetz anns an *Hipper*, agus an Caiptean Stange anns an *Lützow* air am bacadh gu ìre mus do thòisich am blàr. Gun fhiosta dhaibh, air cùl an òrduigh bha beag-earbsa Hitler anns an Kriegsmarine. Chrìochnaich a' choinneamh air bòrd an *Hipper* aig 15:30. Dh'fhalbh Klüber air ais gu Narvik agus Stange dhan *Lützow*.

Bha criutha an *Hipper* trang ag ullachadh. Bha dotairean a' dèanamh cinnteach gun robh na dh'fheumadh iad de stuthan meidigeach air bòrd; bha oifigearan nan gunnaichean a' dèanamh cinnteach gun robh gach rud ann an òrdugh agus ag obair; agus bha teicneòlaichean a' dearbhadh nan seataichean ràdar.

20

KAMPFGRUPPE ADMARAL KUMMITZ A' FÀGAIL ALTENFJORD

Diciadain, 30 Dùbhlachd, 1942

Aig 16:45 chaidh na lìontan anti-thorpedo fhosgladh. Bha caipteanan nan sia milleadairean air an drochaidean agus bha gach seòladair a' feitheamh airson òrdugh an caladh fhàgail. Aig 17:00 bha iad fhathast gun a dhol seachad air a' bhoom. Cha do nochd am bàta-slaodaidh a bha a' dol a tharraing an *Hipper* a-mach às a' chaladh. Mu dheireadh thall thàinig i, 15 mionaidean air deireadh. Dh'fhaodadh an *Hipper* a-nis gluasad. Ach, dh'fhalbh am fòn air an drochaid. Bha seòmar an einnsein ag aithris gun robh pump briste agus gu feumadh iad a chàradh.

Aig 17:45, bha e air a chàradh agus b' urrainn dhan *Hipper* agus na soithichean eile a-nis gluasad a-mach à caladh Altenfjord. Bha an geodha seo 1,400 troigh (427m) ann an doimhneachd. Bha a' ghaoth aig neart 4 a' gluasad eadar 11-15 knots (13-17mph) agus bha an aimsir math. Bha beagan fairge ann. Cho luath 's a bha an Kampfgruppe a-mach às na geodhan agus air a' chuan mhòr, chuir Klüber siognail gu na bàtaichean-U ag ràdh gun robh Kummetz air seòladh, agus o mheadhan-latha an 31mh gun robh aca ri soithichean-cogaidh an nàmhad a shabaid, ach dìreach nuair a bha iad cinnteach gur e an nàmhaid a bha ann.

Aig 18:40, uair a thìde an dèidh dhan *Hipper* a dhol seachad air a' bhoom, fhuair e siognail bho Klüber ann an Narvik. Chaidh an siognail a dhì-chòdadh agus a thoirt do Kummetz air drochaid a' chrùsair. Cha do thog an teachdaireachd a mhisneachd:

Contrary to the operational order regarding contact against the enemy [you are] to use caution even against enemy of equal strength because it is undesirable for the cruisers to take any great risks.

Bha e follaiseach gun robh dragh air Hitler air ais ann am Wolfschanze sa Ghearmailt mun bhriseadh-dùil a bhiodh ann nan cailleadh e long-chogaidh chliùiteach eile mar a chaill e am *Bismarck* ann an 1941.

Sheòl Kummetz leis an fheachd aige iar air iar-thuath air Altenfjord agus an uair sin thionndaidh e dhan ear-thuath seachad air North Cape aig 24 knots (28mph).[51] Aig 02:00 air madainn an 31mh bha Kummetz den bheachd gun robh e aig 71°01'N, 24°25'E agus dh'atharraich e a chùrsa gus an conbhoidh a ghlacadh. Bha òrduighean aig an *Lützow* a bhith 75 mìle (138km) agus 180° bhon *Hipper* aig 08:00. Bha Stange air tomhas gum biodh an *Hipper* aig 73°40'N, 28°E aig an àm sin sa mhadainn.

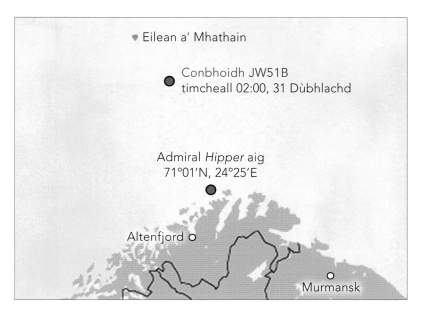

Suidheachadh a' chonbhoidh agus nan Gearmailteach, aig 02:00, 31 Dùbhlachd

Aig 05:00 thog an *Hipper* siognail rèidio bho U-354 a bha ag ràdh:

From 2030 forced under water, bombed…weather conditions very good, advancing…

Cha robh Kummetz buileach cinnteach an robh am fiosrachadh ceart ach mura h-atharraicheadh e an cùrsa aige fhèin agus aig na milleadairean, cha ghlacadh e an conbhoidh. Le sin dh'iarr e air na milleadairean cùrsa atharrachadh 20 mìle (37 km) gu deas. Thug Kummetz òrdugh eile seachad cuideachd. Dh'iarr e air an fheachd aige bho 06:00 agus air adhart nuair a thuiteadh lèireas na b' isle na 6 mìle (11.5 km), an ràdar a chleachdadh airson dà mhionaid a h-uile deich mionaidean gus nach ruitheadh iad a-steach dhan chonbhoidh gun fhiosta.

Aig 05:45 fhuair an Caiptean Stange air an *Lützow* teachdaireachd bho Admaral Klüber ann an Narvik:

1. After completion Regenbogen, intending to release Lützow within the North Sea northwards 70 degrees north between 5 degrees east and 35 degrees east.

2. Mission: cruiser-war, detect enemy shipping traffic, attack single cruisers and poorly secured escorts.
   Cue for release Aurora …

3. Development of Regenbogen is crucial for release … Proceed only if Lützow has at least half of artillery and torpedo ammunition left.

4. Break off Lützow's being at sea independently as soon as enemy units can be recognised from heavy cruiser upwards or after collection of enemy forces becomes probable following considerable success …
   Further information later.[52]

Sgrìobh Stange na leabhar-latha:[53]

The receipt of this FT creates a new situation for me in so far
as contrary to the original plans ... it is now no longer possible
to talk the operation through with B.d.K [Befehlshaber der
Kreuzer (Admiral Commanding Cruisers)] in detail, neither
can I request documents about the enemy from him...

Aig 07:18 chunnaic an *Hipper* dà sgàil air an ràdar agus chaidh
am milleadair *Friedrich Eckholdt* a chur a choimhead dè bha annta.
Aig 07:47 chaidh sgàil na bu mhotha fhaicinn agus thionndaidh an
Hipper ga h-ionnsaigh. Dh'fhaodadh gur e seo aon de na tancairean
a bha air iomrall aig cùl a' chonbhoidh. Cha robh na Gearmailtich
cinnteach an e crùsair no bàta-marsantachd a bha iad a' faicinn.
Fhad 's a bha iad a' breithneachadh nochd sia sgàilean eile agus bha
na caipteanan agus na h-oifigearan a-nis cinnteach gun robh iad
a' faicinn Conbhoidh JW51B.

Aig 08:00 air 31 Dùbhlachd bha an *Lützow* far an deach iarraidh
oirre a bhith. Bha an Caiptean Stange den bheachd gun robh an
conbhoidh mu 80 mìle (148 km) gu tuath, agus eadar ìnean giomach
mòr Gearmailteach. Bha am plana a dhealbh Iarr-Admaral Kummetz
ag obair. Aig 07:58 chuir e siognail dhan Kampfgruppe aige:

Alarm – Square 4395

Bha cùisean a-nis deiseil airson Blàr Muir Bharents.

21

U-354 A' LEANTAINN JW51B

Diciadain, 30 Dùbhlachd, 1942

Madainn 30 Dùbhlachd, bha Kapitänleutnant Karl-Heinz Herschleb a' leantainn JW51B ann an U-354.

Ann an Narvik, beagan an dèidh meadhan-latha fhuair Otto Klüber, an Admaral os cionn nan Uisgeachan a Tuath, teachdaireachd bho Herschleb ag innse gun robh conbhoidh air cùrsa 100°. Dh'aithris e gun robh eadar a sia agus a deich bàtaichean-stiomair ann le grunnan mhilleadairean agus aon chrùsair aotrom.

Ghluais U-354 gu slaodach air thoiseach air a' chonbhoidh a' cumail air a thaobh dheas. Chaidh am bàt'-aiginn sìos gu doimhneachd peireasgop gus am faigheadh i sealladh air na ciad bhàtaichean. Chaidh am peireasgop a thoirt a-nuas agus chaidh trì torpedothan a losgadh. Anns a' bhàta-U bha Herschleb agus a chriutha a' cunntadh air stad-uaireadair nan diogan gus a ruigeadh na trì èisg dhubh na targaidean aca. Ach, cha chuala iad gin dhiubh spreadhadh. Chuir e suas am peireasgop. Bha Herschleb air a dhì-mhisneachadh. Aig a' mhòmaid mu dheireadh rinn an conbhoidh siog-sag agus chaidh na torpedothan seachad air deireadh nam bàtaichean.[54]

Cha bhiodh cothrom eile aige losgadh orra aig an àm ud. Ann an dorchadas an fheasgair, thug e am bàt'-aiginn suas gu uachdar na mara agus chuir e siognail eile gu Dönitz sa Ghearmailt agus Klüber ann an Nirribhidh:

Convoy in square AC 4189. The convoy split up. Zigzag of
up to 80°. About 10 steamers, several destroyers and one
cruiser. Fired three torpedoes but these missed because of
zigzag. Weather good apart from snow squalls.[55]

Thòisich e a' dol an dèidh a' chonbhoidh a-rithist, an turas seo
air uachdar na mara. Anns an dorchadas bha Herschleb ag èisteachd
ri gluasad a' chonbhoidh tro fhònaichean-hàidro a bha a' togail
fuaim nam proipeilearan, sin gus an cuala e fuaim eile aig 20:15
– milleadair bhon Chabhlaich Rìoghail a' dlùthachadh gu luath.
Chaidh U-354 fon uisge anns a' bhad.

B' e am milleadair, HMS *Obdurate*. Bha i air a bhith ag èisteachd
ris an Asdic air taobh deas a' chonbhoidh agus thog i mac-talla bho
U-354. Thug am fear a bha ag obair an Asdic cùrsa-ceàrna dhan
drochaid agus chaidh iad an tòir air U-354. Bha Caiptean Sclater air
Obdurate a' dèanamh deiseil airson ruith a-steach dhan bhàt'-aiginn
mar rùda. Ach, mus d' fhuair e an cothrom dh'ìslich am bàta-U i
fhèin fo uisge fuar na h-Artaig.

Chuir Sclater siognail dhan *Onslow*. Bha Comanndair Sherbrooke
air taobh thall a' chonbhoidh agus ro fhada air falbh airson
cuideachadh, ach chuir e teachdaireachd gu *Obedient* taic a thoirt do
Obdurate. Dh'fheuch an *Obdurate* agus an *Obedient* ri slige a' bhàta-U
a bhualadh le tuinn-fhuaime gus am faigheadh iad mac-talla.
Dh'innseadh am mac-talla an dearbh àite san robh U-354.

An ceann greiseag, fhuair iad mac-talla 1,000 slat (mu 900m)
air thoiseach orra. Chaidh *depth-charges* a thilgeil thar cliathaich
an *Obedient*. Ach an dèidh an spreadhaidh cha robh sprùilleach no
ola ri fhaicinn. Chaill iad lorg air U-354, ged a dh'fheuch iad airson
dà uair a thìde grèim fhaighinn oirre. Ann an riaghailtean
a' Chabhlaich Rìoghail, cha bu chòir sealg bàta-U maireachdainn
na b' fhaide na dà uair a thìde gus nach biodh cus connaidh air a
chaitheadh. Thill an dà mhilleadair dhan chonbhoidh.

Cha robh an Caiptean Kinloch air HMS *Obedient* cinnteach gur
e bàta-U a lorg iad agus ann an teachdaireachd gu Comanndair
Sherbrooke aig 23:14 an oidhche sin, thuirt e:

Four depth-charges dropped on non-submarine contact.

Aig 23:56, nuair a bha e cinnteach nach robh fuaim phroipeilearan ri chluinntinn, thug Herschleb U-354 gu uachdar na mara agus chuir e teachdaireachd gu Admaral Klüber:

From 20.30 depth-charged and forced to submerge. Last position of convoy was AC 6451 and mean course about 120°, speed thirteen knots. Weather very good and I am pursuing. [B' e an cùrsa fìor 90° agus an t-astar 9 knots (10mph)][56]

Bha an conbhoidh mu 200 mìle bho Altenfjord, prìomh phort Kriegsmarine a tuath.

Chuir an Admiralty siognail gu Sherbrooke gun robh tòrr bruidhinn air na rèidiothan Gearmailteach. Is dòcha gun robh seo a' ciallachadh gun deach an conbhoidh fhaicinn. B' e an fhìrinn gun robh na Gearmailtich ag ullachadh airson ionnsaigh mhòr air uachdar na mara air sgàth an fhiosrachaidh a chuir Hebschler ann an U-354 mun chonbhoidh.

Bha Hitler den bheachd gum biodh ionnsaigh caidreabhach ann uaireigin air costa Nirribhidh agus gum feumadh na longan-cogaidh mòra aige a bhith air an gleidheadh gus an taobh tuath a dhìon. Le sin b' e brìgh nan teachdaireachdan a bha a' tighinn à Berlin a ruige leithid Admaral Kummetz mar seo:

1. Cleachd na longan-cogaidh mòra le fìor fhaiceall
2. Cuir casg air na longan-cogaidh bho a bhith a' dol faisg air na longan Breatannach mura bi cinnt ann gum buannaich iad agus nach caill iad fhèin soithichean.

Bha an rud a bha Hitler ag iarraidh a' cuingealachadh Admaral Kummetz agus a' cur bacadh air na longan-cogaidh a chleachdadh mar bu mhiann leis.

Na b' anmoiche air oidhche an 30mh, chuala Hitler gun do sheòl soithichean an Kriegsmarine agus gur mathaid gum beireadh iad air a' chonbhoidh madainn Diardaoin 31 Dùbhlachd.

U-354 a' fàgail buncair ann an Trondheim

22

BLÀR MUIR BHARENTS – FAIREACHADH

Diardaoin, 31 Dùbhlachd, 1942 – 04:00

Bha HMS *Achates* a' siog-sagadh fad an t-siubhail 's i air taobh clì a' chonbhoidh. Aig 04:00 ràinig Lt Loftus Peyton Jones drochaid an *Achates* airson faire na maidne a thòiseachadh. Bhiodh ceithir uairean a thìde eile ann mus fhaigheadh e beagan cadail a-rithist. Bha an oidhche soilleir gun sgòthan agus bha a' mhuir meadhanach làidir, neart 4 air sgèile Beaufort (12-16 knots no 14-18mph). Bha e dubh dorcha agus nimheil fuar. Bha Peyton Jones a' cnuasachadh gum b' e seo an seachdamh latha on a dh'fhàg iad Innis Tìle agus ann an dà latha eile ruigeadh iad Murmansk. Bha e fhèin agus an còrr den chriutha sgìth a-nis an dèidh nan ionnsaighean a dh'fhuiling iad air an t-slighe.

Aig 08:00, thàinig Fo-lioftanant Anthony Davidson dhan drochaid airson Peyton Jones a leigeil air falbh agus faire na leth-mhaidne a chumail. Bha an latha a' briseadh agus bha an dorchadas a' sgapadh. Dh'inns Peyton Jones gun robh dà bhàta-mharsantachd, agus an tràlair *Vizalma*, agus an t-eathar-mèinn HMS *Bramble* fhathast air seacharan bhon chonbhoidh. Chunnaic Davidson aiteal de dhà chumadh air fàire agus ghabh an dithis aca ris gur iad a dhà de na bàtaichean a bha air chall. Thàinig an Caiptean AT Johns dhan drochaid, ach bha na bàtaichean à sealladh a-nis. Chaidh Peyton Jones gu h-ìosal gus e fhèin a bhlàthachadh agus grèim bìdh fhaighinn.[57]

144

Captain R.A. Melhuish, RIN   Commodore of Convoy

EMPIRE ARCHER
Commodore of Convoy Captain Melhuish
British. 141 vehicles, 18 tanks, 21 fighters, 4,376 tons general cargo.

DALDORCH
British. 264 vehicles, 1,744 tons general cargo.

EMPIRE EMERALD
British. 5,500 tons oil fuel, 5,280 tons aviation fuel.

CHESTER VALLEY
US. 2 vehicles, 25 tanks, 10 fighters, 4 bombers, 250 tons fuel,
4,371 tons general cargo.

PUERTO RICAN
US. 14 vehicles, 23 tanks, 15 fighters, 8 bombers, 100 tons fuel,
5,345 general cargo.

EXECUTIVE
US. 139 vehicles, 4 bombers, 450 tons fuel, 450 tons fuel,
5.534 tons general cargo.

R.W. EMERSON
US. 160 vehicles, 25 tanks, 18 fighters, 0 tons fuel,
5,534 tons general cargo.

JEFFERSON MEYERS
US. 376 vehicles, 4 bombers, 500 tons fuel, 5,336 tons general cargo

VERMONT
US. 299 vehicles, 4 bombers, 300 tons fuel, 4,048 tons general cargo.

YORKMAR
US. 188 vehicles, 150 tons fuel, 5,326 tons general cargo.

JOHN H. LaTROBE
US. 191 vehicles, 58 tanks, 10 fighters, 4 bombers, 640 tons fuel,
4,397 tons general cargo.

CALOBRE
Panamanian. 166 vehicles, 8 tanks, 250 tons fuel,
4,534 tons general cargo.

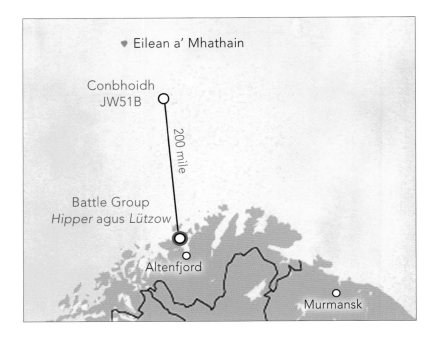

Ron seo, aig 07:40 nuair a bha an dorchadas a' togail agus solas liath an latha a' nochdadh, bhruidhinn Caiptean Sherbrooke anns an *Onslow* ris na h-oifigearan aige, a' Chiad Lioftanant Lewis King agus Peadar Wyatt, an nabhaigeatar. Bha fios acasan agus aig a' chriutha gu lèir gum biodh faire na maidne seachad ann am fichead mionaid aig 08:00 agus gum b' urrainn dhaibh a dhol sìos airson bracaist agus beagan cadail. Dìreach mus do chrìochnaich faire na maidne thuirt Sherbrooke ri Lewis King os ìosal:

Number One, I have a feeling something is going to happen today, and I want you to see that all the hands are breakfasted by 09:00 and changed into clean underwear.

Thug King seachad an t-òrdugh aig Sherbrooke agus an uair sin lìon e a-staigh log na deic – dìreach mar a lìonadh tu leabhar-latha:

HMS Onslow *Thursday 31st of December, 1942*

From Iceland to Murmansk and at sea

Five on sick list

Propellors: 111 rpm

Mean course: 090° (due east)

Wind: NW (on port quarter), Force 2

Sea: smooth with long low swell

Barometer: 1004 millibars

Sea Temperature: 41° Fahrenheit

Air temperature: 25° Fahrenheit

Aig 08:00, air gach bàta sa chonbhoidh, chuir gach fear a bha a' cumail faire crìoch air a' 'watch' aige. Aig an àm seo bha gach seòladair an ìre mhath riaraichte. Bha an fheadhainn a bha a' tighinn dheth a' coimhead air adhart ri biadh agus cadal, agus bha an fheadhainn a bha a' dol a chumail faire air am biadhadh agus blàth agus air ceithir uairean a thìde de chadal fhaighinn.

Aig 08:20, chunnaic fear-faire air làimh deas drochaid an *Hyderabad*, dà mhilleadair air cùrsa 180° (a' seòladh bho dheas gu tuath). Smaoinich an *Hyderabad* gur e soithichean Ruiseanach a bha annta oir bha iad an dùil riutha. Le sin, cha do dh'inns iad gu Sherbrooke air an *Onslow*. Beagan mhionaidean an dèidh seo ge-tà, dh'aithris fear-faire air an *Obdurate* a bha a' siog-sagadh deas air a' chonbhoidh gum faca e dà mhilleadair air cùrsa 210°. Dh'iarr Caiptean Sclater air an *Onslow* am fiosrachadh seo a chur gu

Sherbrooke. Aig 08:30 chaidh teachdaireachd a chur agus air sgàth is gun robh aig an teachdaireachd ri dhol dhan *Onslow* tron *Obedient,* bha e 08:45 mus d' fhuair an *Onslow* am fiosrachadh. Nuair a fhuair Sherbrooke agus Peadar Wyatt an teachdaireachd – '*Bearing 210° two destroyers*' – leum iad gu na prosbaigean aca agus choimhead iad a-mach air taobh deas a' bhàta. Cha robh iad a' faicinn dad. Cha robh an latha buileach ann agus bha e sgleòthach, gruamach. Thug Sherbrooke òrdugh dhan *Obdurate* rannsachadh a dhèanamh. Thionndaidh an *Obdurate* gu a làimh dheis agus rinn i air deireadh a' chonbhoidh.

Aig cùl a' chonbhoidh, chunnaic Sclater trì milleadairean nach do dh'aithnich e agus bha iad a-nis a' seòladh gu tuath ann an loidhne, aon an dèidh a chèile. Aig 09:15, mhothaich *Sclater* gun robh na bàtaichean air tionndadh dhan iar agus air falbh bhon *Obdurate,* agus an uair sin dhan iar-thuath a-rithist. Cha robh e fhathast cinnteach cò iad. Dh'iarr Sclater siognail-solais a chur thuca. Cha do fhreagair iad. An uair sin, chunnaic e deàrrsadh dearg a' tighinn bho aon dhiubh. Bha an soitheach air na gunnaichean aice a losgadh orra. Bha e 09:30 agus bha na milleadairean Gearmailteach 4.5 mìle air falbh. Thuit na sligean pìos air falbh. Dh'iarr Sclater fios a chur gu Sherbrooke anns an *Onslow* gun robh an nàmhaid air nochdadh.

Air an *Onslow* bha Sherbrooke a' coimhead air tancair a bha air tuiteam air deireadh air a' chonbhoidh. Chunnaic e priobaidhean dearga air loidhne na fàire. Bha soithichean a' losgadh air an tancair. Ghairm e 'Action Stations'. Chaidh tiùbaichean torpedo an *Onslow* a dhèanamh deiseil airson losgadh.

Air an *Achates* bha Caiptean Johns air òrdugh fhaighinn a dhol gu 'Action Stations'.

'Lasraichean ghunnaichean air cùl a' chonbhoidh,' mhìnich Johns nuair a ràinig Lt Peyton Jones an drochaid a-rithist.

Thuirt an Caiptean gun robh iad a' dol a chur am plana a chaidh aontachadh ochd latha air ais ann an Loch Iùbh an gnìomh.

Thuirt Sherbrooke an latha sin is e den bheachd gun tigeadh na Gearmailtich orra bhon deas:

> Air sgàth is gum bi e dorcha airson ùine mhòr aig an àm seo den bhliadhna, bidh ionnsaighean-mara nas coltaiche na ionnsaighean-adhair. Le sin, ma nochdas an Kriegsmarine, gluaisidh *Onslow*, *Obedient*, *Oribi*, *Orwell*, agus *Obdurate* bho a bhith air gach taobh den chonbhoidh dhan taobh air a bheil na Gearmailtich.
>
> 'Cuiridh *Achates* agus *Bulldog* ceò sìos anns an ionnsaigh agus feumaidh iad iad fhèin a ghluasad eadar an nàmhaid agus an conbhoidh. Anns a' cheò, tionndaidhidh an conbhoidh air falbh, fo chomannd Comodoir Melhuish.

B' e obair nam milleadairean iad fhèin a chur eadar an nàmhaid agus na bàtaichean-marsantachd a rèir a' phlana (ach cha robh HMS *Bulldog* còmhla riutha. Bha i air tilleadh a Bhreatainn air sgàth milleadh a dh'fhuiling i ann an stoirm eadar 22-23 an Dùbhlachd.) Dh'fhàg Lt Peyton Jones an drochaid gus dèanamh cinnteach gun robh gach seòladair dùinte suas anns an stèisean aige eadar na deiceannan.

An dèidh do Pheyton Jones an drochaid fhàgail bhrùth Caiptean Johns putan ann am meadhan plaig pràis air an robh na faclan '*MAKE SMOKE*' agus '*STOP*'. Gu h-ìosal chuala na h-einnseanairean glag àrd agus dh'fhosgail iad na 'fuel injection valves' gus an d' rachadh barrachd ola na b' urrainn a losgadh a-steach dha na fùirneisean. Coltach ri lampa paireafain le siobhag shalach dh'èirich ceò dubh suas dhan adhar agus chaidh earball fada dubh ann an cuibhleagan sìos seachad air deireadh an *Achates* agus air uachdar a' chuain. Mu thràth, bha sgàileadh de cheò dubh a' tighinn à funail an *Achates*. Bha an conbhoidh a-nis a' dol à sealladh an Admaral *Hipper*. Thàinig an dà chorbhait *Hyderabad* agus *Rhododendron* airson taic a thoirt dhan *Achates*. Leig na bàtaichean-marsantachd aig cùl a' chonbhoidh às fleòdragain-ceò cuideachd. Thionndaidh an conbhoidh gu deas. Ach, gu mì-fhortanach bha an *Achates* – a bha iar-dheas air an t-soitheach Ghearmailteach – a' seasamh a-mach an aghaidh na h-iarmailt liath-ghlas is e follaiseach gur ise an soitheach a bha a' cur ceò sìos. B' e targaid shoilleir a bha innte a-nis. Bha e mu 09:40.

A' cur sios ceò

23

BLÀR MUIR BHARENTS –
AN KRIEGSMARINE A' DLÙTHACHADH

Diardaoin, 31 Dùbhlachd, 1942 – 08:00

Anns an dorchadas, aig 08:00 bha an *Lützow* anns an àite a bha còir aice a bhith a thaobh a' phlana aig Admaral Kummetz. Bha Rudolf Stange, caiptean an *Lützow*, a' tomhas gun robh e 80 mìle (148km) tuath air a' chonbhoidh, agus gun robh JW51B an impis a bhith air a ghlacadh ann an ìnean a' ghiomaich Ghearmailtich. Bha Kummetz air na feachdan aigesan a chur anns an àite cheart agus bha e a-nis a' dol a bhìdeadh. Aig 07:58 chaidh siognail dhan Kampfgruppe:

Alarm Square 4395.[58]

Chuir Kummetz anns an *Hipper* siognail dhan mhilleadair *Eckholdt* gum feumadh i leantainn oirre sùil a chumail air a' chonbhoidh. Dà mhionaid an dèidh seo aig 08:02, chuir Kummetz teachdaireachd dhan Kampfgruppe gu lèir:

Hipper attacks from north at first light.

Gus faighinn dhan t-suidheachadh a b' fheàrr airson ionnsaigh a thoirt air a' chonbhoidh ann an soilleireachd an latha, ghluais an *Hipper* dhan ear aig 20 *knots* (23mph).

Sgrìobh Kummetz aig an àm seo:

Tha mi a' roghnachadh feum a dhèanamh de sholas an latha. Tha seo deatamach airson ionnsaigh a dhèanamh leis an *Hipper* aig a' chamhanaich, eadhon ged nach biodh na milleadairean còmhla rium. Feumaidh an *Eckholdt* cumail oirre a' leantainn a' chonbhoidh aig an àm seo. Chan urrainn dhan *Hipper* agus dhan *Lützow* tighinn ri chèile fhad 's a tha e fhathast dorcha. Tha cunnart ann gun tachradh tubaist nan tigeadh.[59]

Aig 08:30, nuair a bha Kummetz fhathast a' cnuasachadh air na rudan sin, chunnaic an *Obdurate* an *Eckholdt* agus na bàtaichean Gearmailteach a bha na cuideachd air cùl a' chonbhoidh. Chaidh iarraidh air Sherbrooke anns an *Obdurate* a dhol gu cùl a' chonbhoidh a choimhead dè bha a' gabhail àite.

Aig 09:07, nuair a bha solas an latha a' tighinn troimhe, chuir Kummetz na sia milleadairean aige ann an òrdugh. Thòisich an luchd-siognailidh air an *Hipper* teachdaireachdean a chur a-mach ag iarraidh air na soithichean eile a chruinneachadh ris na crùsairean aca:

Beitzen group [Eckholdt, Z29, agus Beitzen] dhan *Hipper* agus Z31 group [Z31, Theodore Riedel agus Z30] dhan *Lützow*.

Bha iad fhathast a' cur a-mach an siognail nuair a chunnaic luchd-faire air an *Hipper* cumadh shoithichean air fàire, agus bha iad den bheachd gun robh còig dhiubh ann. Còig mionaidean an dèidh seo aig 09:15, sgrìobh Kummetz an nota seo:

Lèireas gu math truagh. A h-uile sìon sgleòthach. Chan urrainn a dhèanamh a-mach an e caraid no eascaraid a tha agam. Deich soithichean ri fhaicinn a-nis, feadhainn dhiubh coltach ri milleadairean. Chan urrainnear a ràdh a bheil na milleadairean againn fhìn nam measg no nach eil. Deatamach siognailean-aithneachaidh a chur agus fhaighinn.

Dh'iarr Kummetz siognail a chur dhan mhilleadair a b' fhaisge. Cha d' fhuair e freagairt bhon t-siognail-sholais. Ach, fhuair e siognail eile bhon *Eckholdt* aig an àm sin a bha ag ràdh gun robh ise agus *Z-39* agus *Beitzen* còmhla timcheall a' chonbhoidh. Thàinig teachdaireachd an dèidh sin bho Chaiptean Stange a bha mìltean mòra air falbh gu deas anns an *Lützow*. Thuirt e gun robh e a' dlùthachadh is e air cùrsa dhan ear-thuath aig 26 knots (30mph).

Aig an àm sin chunnaic an *Lützow* lasraichean ghunnaichean air fàire. Bha Kummetz den bheachd gun tàinig iad bho ghunnaichean nan soithichean aige fhèin. Bha e ceart. B' e *Eckholdt, Z29* agus *Beitzen* a bha ann 's iad a' losgadh air an *Obdurate*.

Bha an *Hipper* a' dlùthachadh air a' chonbhoidh on iar-thuath. Bha sligean 8" ann an gunnaichean an *Hipper*, làn de stuth-spreadhaidh cumhachdach – an seòrsa a dhèanadh am milleadh bu mhotha air pleitean-stàilinn bàtaichean a' chonbhoidh. Ged nach buaileadh an slige gu dìreach air soitheach, dhèanadh na spealgan cron. Bha Caiptean Hartmann agus oifigear nan gunnaichean a' coimhead tro na prosbaigean aca. Chunnaic iad air an làimh-dheis cumaidhean nam bàtaichean-marsantachd anns an leth-sholas 's iad làn bathair airson nan Ruiseanach. Ach, bha milleadair Breatannach ri fhaicinn cuideachd eadar an *Hipper* agus an conbhoidh.

Bha an *Achates* air tòiseachadh air ceò a chur sìos agus bha i a' gluasad aig astar tarsainn a' chonbhoidh. Leis a' cheò dhubh a bha a' crochadh os cionn na mara, bha an *Achates* a' falach a' chonbhoidh bhon *Hipper*. Cha robh an crùsair Gearmailteach deònach a dhol a-steach dhan cheò oir cha robh fios dè bha air an taobh thall – milleadairean deiseil le torpedothan is dòcha. Bha e ro chunnartach. Agus, dh'iarr an t-òrdugh aig Hitler bàtaichean an Kriegsmarine a bhith faiceallach.

24

BLÀR MUIR BHARENTS – AN *HIPPER* A' LOSGADH AIR HMS *ACHATES*

Diardaoin, 31 Dùbhlachd, 1942 – 09:40

Dh'iarr Caiptean Hartmann cead air Admaral Kummetz losgadh air an *Achates* agus fhuair e sin. Thionndaidh e an *Hipper* dhan taobh chlì gus na ceithir turaidean le dà ghunna mhòr air gach turaid amas air a' mhilleadair Bhreatannach. Nuair a losgadh na h-ochd gunnaichean aig an *Hipper*, gach slige a' tomhas mu 250lbs (113.4kg), bhiodh faisg air tunna de stuth-spreadhaidh ag itealaich dhan targaid aig 1000mph (1,609kph). Bheireadh na sligean mu 23 diogan an t-ochd mìle a bha eadar an *Hipper* agus an *Achates* a ruigheachd.

Loisg gunnaichean an *Hipper* aig 09:42. Thuit braighsteal de ochd sligean faisg air a' mhilleadair Bhreatannach. Ann an dusan diog eile (b' urrainn do gach gunna còig sligean a thilgeil ann am mionaid), loisg an *Hipper* a-rithist agus an turas seo thuit na sligean air gach taobh den *Achates* agus is dòcha gun do thuit aon air an t-soitheach fhèin.

Mhìnich Lt Loftus Peyton Jones dè thachair nuair a loisg an *Hipper* air an *Achates*:

Having ascertained that all was ready below – ammunition supply parties, the TS crew, the fire and repair parties and first aid crews, I climbed up to Y gundeck on top of the after superstructure but it was very hard to see what was going on.

Dealbh den Admaral *Hipper* a' losgadh ann an 1940

Le cead bho Naval History & Heritage Command (Mr. Jacoby):
Photo Section, Photo NH 61836

It was about 09:40 and though the southern sky was slowly lightening, to the north the black snow clouds merged into the sea, leaving no horizon. Then, suddenly, out of the blackness appeared more gunflashes, the first that I had seen, and great fountains of water thrown up about a cable's length away [about 176yds/160m). Big shells these, which exploded on impact.[60]

An dèidh a' chiad shalbho, ghreasaich Caiptean AT Johns astar an *Achates* agus aig an aon àm thionndaidh e an soitheach gu grad, a' cur an t-soithich air a cliathaich. Loisg gunnaichean an *Achates* air a' bhàta Ghearmailteach a bha ochd mìle air falbh agus air iomall rainse nan gunnaichean aice. Cha b' urrainn do na ceithir gunnaichean 4" aig an *Achates* ach salbho 124lb a chur, an coimeas ri salbho 2,000lbs bho na h-ochd gunnaichean 8" aig a' *Hipper*.

Gunnaichean 8″ air an Admaral *Hipper*

The next salvo arrived, much closer this time with eight huge splashes, some on either side of the ship. The enemy had found the range and we had been straddled. Despite our now zig-zagging course the next two salvos were equally accurate and a particular near-miss abreast the bridge on the port side sent showers of splinters scything across the deck and drenched the guns' crews in icy spray. Then as *Onslow*, with *Orwell* in close company, closed the distance, our adversary, which turned out to be the 8-inch cruiser *Hipper*, altered course away northwards under threat of torpedo attack from the destroyers, and we were left to assess the damage.

Rinn Peyton Jones rannsachadh agus fhuair e a-mach gun robh am milleadh na bu mhiosa na shaoil e an toiseach. Bha mòran de na spealgan de shrapnel bhon t-slige air a dhol glan tro chliathaich an t-soithich agus air miastradh mòr a dhèanamh eadar na deiceannan. Bha toiseach an *Achates* air an taobh chlì mar shìolachan is bha na lotan a' leigeil leis an t-sàl ruith a-steach. Bha càballan-dealain air an sracadh. Bha preasan nan seòladairean agus na bha annta rù-rà. Bha na bùird anns an t-seòmar-ithe air an tulgadh air ais 's air adhart anns an t-sàl a bha a' taomadh a-steach. B' e suidheachadh sgreamhail ris na choinnich Peyton Jones:

> In the dim light it was difficult not to trip over the bodies of the killed or wounded which lay in passage ways and messdecks. I was much relieved when the Chief, Peter Wright, rigged up some emergency lighting and the Doctor, James MacFarlane, appeared to take charge of the casualties. Calm and unruffled amidst the chaos, he organised their removal to the first aid post, quieting the more seriously injured with shots of morphia.
>
> I went up to the bridge to make a quick report to the Captain before returning to help Peter Wright organise the repair parties. I found that we were continuing to lay smoke across the stern of the convoy which was now making an emergency turn to starboard to steer south-east. Fortunately the wind was north-westerly so that the lines of smoke blew down along the convoy's track.[61]

An dèidh dha bruidhinn ris a' Chaiptean, chaidh Peyton Jones air ais sìos dhan deic-chomaidh (mess-deck) aig toiseach a' bhàta. Bha an luchd-càraidh a' dèanamh an dìchill na tuill a lìonadh. Bha a' mhuir a' stealladh a-steach gach uair a chlaonadh an *Achates* dhan taobh-chlì. Agus, na bu mhiosa bha na tuill a bha fon mhuir a' leigeil leis an t-sàl sruthadh a-steach fad na tìde. Air sgàth 's gun robh an soitheach air ionsulaideadh airson na h-Artaig, dh'fheumadh na seòladairean an t-ionsulaideadh seo a shracadh air falbh bho phleitean a' bhàta – rud a thug ùine. Nuair a bha e air a tharraing air falbh, chunnaic iad gun robh na tuill biorach agus fiaclach – bha a' mhòr-chuid dhiubh eadar leth-oirleach (1.25cm) agus sia òirlich (15cm) ann am meud. Bha cuid eile na bu mhotha agus cha robh iad sin furasta a dhùnadh.

Air deic-comaidh nan stòcairean, aon deic na b' ìsle, bha cùisean na bu mhiosa. Bha a' mhuir a' dortadh a-steach agus bha e a' coimhead coltach gun robh aon de na pleitean ann an slige a' bhàta air sgàineadh. Bha glumag mhòr anns an t-seòmar seo agus bha an t-sàl a' dòrtadh a-steach dhan an deic gu h-ìosal far an robh an arm-lann agus seòmar nan sligean. Cha robh gin de na pumpaichean no den uidheamachd eile gu feum. B' e an aon rud a b' urrainn dhaibh a dhèanamh na dorsan-dìon a dhùnadh air an deic-chomaidh gu lèir agus na tallain a neartachadh. Ann am beagan mhionaidean bha na trì seòmraichean mòra sin – an arm-lann, seòmar nan sligean, agus seòmraichean-comaidh nan stòcairean – làn uisge. Agus, chaidh beul a' bhàta fodha air sgàth seo. Chaidh na tuiltean anns na pàirtean eile den t-soitheach a cheannsachadh gu ìre agus bha dòchas ann gum faigheadh iad làmh-an-uachdair air a' mhilleadh. Ged a bha iad fhathast a' cur sìos ceò airson an conbhoidh a dhìon, chaidh astar a' bhàta a lùghdachadh gu mòr gus nach sgàineadh an t-slige.

Is coltach gur e seo am mòr-chrùsair Gearmailteach, an Admaral *Hipper*, a' losgadh air HMS *Glowworm* agus ga chur fodha air 08.04.1940

25

ONSLOW AGUS ORWELL A' GLUASAD A DH'IONNSAIGH AN HIPPER

Diardaoin, 31 Dùbhlachd, 1942 – 09:44

Bha e a-nis 09:44, agus bha an dà mhilltear, *Onslow* agus *Orwell*, a' gluasad aig astar a dh'ionnsaigh an *Hipper*. Chunnaic luchd-faire air an *Hipper* an *Onslow* a' dlùthachadh gu luath air taobh deas an toisich aice. Thuig Admaral Kummetz anns a' bhad gun robh an *Onslow* ann an deagh shuidheachadh airson torpedo a leigeil às. Bha fios aig Sherbrooke gum b' e am bagairt a bha na bu làidire na an gnìomh. Cho fad agus a bha torpedothan aige bhiodh eagal air an *Hipper* bho ionnsaigh. Thionndaidh an *Onslow* dhan làimh dheis nuair a bha i a' dlùthachadh, agus bha an *Hipper* den bheachd gun do leig i às na torpedothan aice. Cha do leig, ge-tà. Bha i dìreach a' tionndadh gus i fhèin a chumail eadar an *Hipper* agus an conbhoidh.

Seo na chaidh a sgrìobhadh san loga aig an *Hipper*:

09:44: A destroyer approached from the south-east and then put her helm hard over. She had fired torpedos.

Dh'òrdaich Hartmann, caiptean an *Hipper*, deireadh a' bhàta a chur ris an *Onslow* agus an *Orwell*. Seo an gluasad glic ma bha thu den bheachd gun robh torpedothan a' tighinn nad rathad. Bhiodh caiptean sam bith airson an targaid bu lugha a thoirt dhan nàmhaid.

Bha am plana aig Sherbrooke ag obair. Ann a bhith ga dìon fhèin, thionndaidh an *Hipper* air falbh bhon chonbhoidh. Ged a bha Admaral Kummetz, ann am prìomh shoitheach an Kampfgruppe, air a bhith air a thionndadh air falbh bhon chonbhoidh, bha spèis mhòr aige do mar a làimhsich Sherbrooke cùisean. Sgrìobh e san log aige:

The [British] destroyers conducted themselves very skilfully. They placed themselves in such a position between *Hipper* and the convoy that it was impossible to get near the ships. They also made very effective use of a smoke-screen with which they tried to hide the merchant ships. They tried to dodge *Hipper*'s fire by taking avoiding action and using smoke. Their relative position forced *Hipper* to run the risk of a torpedo attack while trying to use her guns on the ships.[62]

Uair: 09:45-09:55

Aig 09:45, fhad 's a bha an dà mhilleadair, *Onslow* agus *Orwell*, a' strì an aghaidh an *Hipper*, dh'atharraich an conbhoidh a chùrsa bhon ear dhan ear-dheas. Bha beagan dragh air Sherbrooke anns an *Onslow* mu dheidhinn nam milleadairean Gearmailteach. Cha robh sgeul orra agus bha eagal air gun robh iad a' dol a dh'fheuchainn ionnsaigh air na bàtaichean-marsantachd a bha a' siubhal aig 9 knots (10mph). Air sgàth sin, roghnaich e gun tilleadh *Obedient*, *Obdurate*, *Orwell* agus e fhèin anns an *Onslow* dhan chonbhoidh. Ach, cha robh fios aig Sherbrooke gun robh Admaral Kummetz air iarraidh air na milleadairean Gearmailteach fuireach còmhla ris anns an strì an aghaidh an *Onslow* agus an *Orwell*. Le sin, cha robh an conbhoidh ann an cunnart bho na milleadairean sin.'[63]

Uair: 09:57-10:04

Thuig Admaral Kummetz gun do rinn Sherbrooke an gnothach air anns a' chiad ionnsaigh. Thionndaidh e an *Hipper* dhan ear aig 09:57 airson an dara ionnsaigh. Bha Kummetz airson braighsteal a leigeil air an *Onslow* agus an *Orwell* leis na h-ochd gunnaichean mòra aige. Ach, fhreagair an dà mhilleadair le losgadh làidir agus thionndaidh am mòr-chrùsair aig Hitler a-steach gu dorchadas an ear-thuath. Bha an *Hipper* air a h-iomain air falbh bhon chonbhoidh a-rithist. (Is cinnteach gun robh mac-talla nan òrduighean aig Hitler – nach bu chòir dha na prìomh longan-cogaidh iad fhèin a chur ann an cunnart bho fheachd an namhad – a' dol tro inntinn an Admaral.) Ged a bha seo fàbharach dhan chonbhoidh air aon dòigh, air dòigh eile bha iad a' tionndadh gu deas agus gan cur fhèin ann am spòg eile a' ghiomaich Ghearmailtich, an *Lützow*, a bha a' gluasad on iar-dheas dhan ear-thuath.

Aig 10:04, thòisich an *Hipper* air an treas ionnsaigh aice. Roghnaich Kummetz seòladh dhan ear-dheas agus ruith gu dìreach air an *Onslow* agus an *Orwell*. Chùm e air a' chùrsa seo airson ceithir mionaidean a' losgadh air an dà mhilleadair leis na gunnaichean mòra aige. Chùm an dà mhilleadair Bhreatannach gu daingeann air a' chùrsa aca dhan ear, a' siog-sagadh gus na sligean a sheachnadh. A-rithist, bha iad a' gearradh an *Hipper* dheth bhon chonbhoidh.[64]

Uair: 10:08-10:20

Aig 10:08, sguir Kummetz a losgadh agus thionndaidh e an *Hipper* timcheall dhan ear-thuath a-rithist. Is dòcha gun robh e airson anail a tharraing. Aig 10:13 thòisich e air a' cheathramh ionnsaigh aige. Bha Kummetz a' dol a leigeil braighsteal eile. Aig an aon àm chuir e siognail a-mach dhan fheachd aige fhèin:

Hipper to north of convoy and there are four enemy destroyers between us and the convoy.

Cha robh an siognail buileach ceart oir b' iad an *Onslow* agus an *Orwell* na h-aon bhàtaichean a bha a' sabaid an aghaidh an *Hipper*. Bha an *Obedient* agus an *Obdurate* air siubhal gu deas a dh'ionnsaigh a' chonbhoidh.

Ghreasaich an *Hipper* an t-astar aice agus aig an aon àm thòisich i a' losgadh gun sgur air an *Onslow* agus an *Orwell*. Cha b' e co-fharpais chothromach a bha ann. Bha cumhachd nan gunnaichean aig an *Hipper* deich uiread na bu làidire na bha gunnaichean nam milleadairean. Bha fios aig Kummetz cuideachd, gun robh na pleitichean stàilinn a bha a' dìon a' bhàta aigesan tiugh gu leòr airson sligean nam milleadairean Breatannach a bhacadh. Cha robh ach aon rud a' dol a thachairt anns an ionnsaigh seo.

Bha e comasach dhan luchd-faire air *Onslow* agus *Orwell* na boillsgidhean dearga bho ghunnaichean an *Hipper* fhaicinn. Chaidh a' chiad salbho no dhà seachad. Aig 10:14 thàinig salbho a thuit na b' fhaisge air an *Onslow*. Spreadh an ath dhà shalbho 150 slat (137m) seachad oirre, agus an ath dhà air gach taobh de dheireadh a' bhàta. Bha rainse an *Onslow* aig an *Hipper* a-nis.

Aig 10:18, chunnaic fear-obrachaidh an ràdar air an *Onslow* sligean a' tighinn ga h-ionnsaigh air an sgrìon aige, agus bha e a' toirt aithris dhan drochaid:

Salvo coming…coming towards…coming towards…

Bha dìreach diog aig a' bhalach bhochd airson tuigsinn gun robh na sligean anns an ath shalbho a' dol a thuiteam airsan mus d' fhuair e bàs. Bha spreadhadh uabhasach air cùl na drochaid. Sgàin aon slige funail a' ghoileadair, ga reubadh bho mhullach gu bonn, agus thòisich smùid bheò a' spreadhadh suas dhan adhar le sgreuch a bha eagalach.

Mharbh na pìosan *shrapnel*, a bha cho geur ri sgian-dubh, balach à Alba a bha air faire air cùl na drochaid. Dh'fhuiling seòladair eile leòn marbhtach agus bha an sgreuchail aige a' cur gairiseachadh tro na seòladairean eile timcheall air. Fhrois an *shrapnel* bhon t-slige drochaid mar chlachan-meallain. Chaidh Caiptean Sherbrooke a bhualadh. Bha a ghruaidh, a shròn, agus taobh deas clàr aodainn air a mhilleadh. Bha a shùil air tuiteam sìos a ghruaidh. Chùm Sherbrooke a' dol a' toirt òrduighean seachad, daingeann gun robh e a' dol a dh'fhuireach air an drochaid.

Anns an leabhar aige *73 North*, tha Dudley Pope ag aithris air a' chòmhradh a bha a' dol air adhart air an drochaid aig an àm sin:

Most of A and B guns' crews killed, I'm afraid, sir.
Hipper's shifted fire to *Orwell*.
Get a report from the engine-room on this damage.
You need help, sir, I've sent for the SBA [Sick Berth Attendant]
No, no, I can see, said Sherbrooke. 'Where is *Obedient*?
About five miles to the south, sir. *Orwell* is joining us.
Yes, he'll be no good on his own.

Mus b' urrainn do neach sam bith Sherbrooke a chuideachadh bha dà spreadhadh mhòr mar bhoillsgeadh dealanaich aig toiseach a' bhàta. Bha dà shlige 8" bhon *Hipper* air tuiteam air an deic-toisich. Anns an spot leum lasraichean suas air beulaibh na drochaid. Chaidh na 'cordite charges' airson nan gunnaichean nan teine, a' cur ris an dreòs eagalach. Thuig Sherbrooke gum faodadh an ath bhuille bhon *Hipper* cur às dhan bhàta agus dhan chriutha. Dh'fheumadh e tionndadh air falbh anns a' bhad agus cuideachd astar a' bhàta a lùghdachadh gus na teintean mòra a mhùchadh. Dh'èigh e:

Come hard to starboard, Pilot, make smoke and come down to fifteen knots.

Bhrùth Lt Marchant am putan 'MAKE SMOKE' agus dh'èigh oifigear eile sìos a' phìob-ghutha:

Starboard 20, revolutions for fifteen knots!

Chuir an tionndadh seo gunnairean an *Hipper* ceàrr agus thuit an ath thrì salbhothan 30 slat (27m) seachad.[65]

Fhuair an Caiptean Sherbrooke teachdaireachd gun robh am milleadair a-nis a-mach à cunnart a dh'aindeoin nan teintean agus a' mhillidh gu h-ìosal. Air an naidheachd sin a chluinntinn, dh'iarr e air Caiptean Kinloch a bha anns an *Obedient* an 17mh *Destroyer Flotilla* a ghabhail os làimh. Bha an *Onslow* gun ràdar, ASDIC, agus gunnaichean toisich.

B' iad na spealgan bho shlige a bhuail funail an *Onslow* a thug
droch lèontan do Chaiptean Sherbrooke air an drochaid.

Seo an còmhradh a bha san drochaid nuair a dh'aontaich Sherbrooke a dhol gu h-ìosal:[66]

Torps, (Cpt. Marchant) you take over here while I go below and get patched up. Tell *Obedient* what's happened and order him to take over temporary command. Do what you can with the fires, and as we aren't much use now it would be a good idea to fall back on the convoy and home the cruisers. Keep me informed.

Dh'fheumadh Sherbrooke, a bha a-nis cha mhòr dall, a bhith air a chuideachadh sìos am fàradh dhan chaban aige. Bha an caban beag air an deic fon drochaid. Bha bunc, deasg, agus sinc ann. Cha robh solas an dealain ag obair leis a' mhilleadh, ach bha lòchran-stoirme aca. Chuir iad Sherbrooke dhan an leabaidh aige agus thòisich iad ag obair air aodann a chàradh cho math 's a b' urrainn dhaibh. Cha robh aon fhacal gearain a' tighinn bho Sherbrooke agus nuair a bha iad deiseil thug iad morphia dha. (Airson na rinn e nuair a bha e a' stiùireadh an fheachd-dìon dhlùth, agus airson fuireach aig a' phost a dh'aindeoin an droch leòin a fhuair e, chaidh an Crois Bhictòria a bhuileachadh air.)

Bha Kummetz anns an *Hipper* a' smaoineachadh gun robh an *Onslow* a-nis gun fheum agus thionndaidh e air HMS *Orwell*.

Anns an *Orwell* chunnaic Caiptean Austen na salbhothan a' tuiteam faisg air an *Onslow*. Bha e cinnteach gun robh i a' dol a spreadhadh 's i air a còmhdachadh bho thoiseach gu deireadh ann an smùid agus ceò.

Aig an aon àm, chunnaic e an *Hipper* a' tionndadh agus a' losgadh air. Bhrùth e am putan 'MAKE SMOKE'. Bheachdaich e air na bu chòir dha a dhèanamh. An e ionnsaigh a thoirt air an *Hipper* leis na torpedothan aige? No, an e cobhair a thoirt dhan *Onslow*? Fhad 's a bha e a' beachdachadh air na rudan sin, chunnaic e an *Hipper* a' tionndadh air falbh agus a' seòladh a-steach do sguaile sneachda. Bha na gunnaichean aice air sgur a losgadh. Gu mìorbhaileach, bha *Onslow* agus *Obedient* air an sàbhaladh.

26

AN KRIEGSMARINE A' CALL CHOTHROMAN

Diardaoin, 31 Dùbhlachd, 1942

Uair: 10:35

Air sgàth an leòin a fhuair an Caiptean Raibeart St Vincent Sherbrooke, bha Caiptean Kinloch anns an *Obedient* a-nis os cionn an 17mh *Destroyer Flotilla* agus Conbhoidh JW51B. Cha robh fiosrachadh iomlan aige air suidheachadh gach bàta nuair a ghabh e comannd aig 10:35. Bha an conbhoidh a' seòladh air cùrsa 180° (gu dìreach deas). Bha e fhèin agus *Obdurate* mu thrì mìle (5.5km) gu tuath agus a' dlùthachadh air a' chonbhoidh. Bha HMS *Onslow*, breòite agus leònte, a' dèanamh a slighe gu ceann a' chonbhoidh, mar a chaidh iarraidh oirre.

Chaidh an *Onslow* seachad air an *Obedient*, agus nuair a chunnaic sgioba HMS *Obedient* droch-shuidheacheadh an *Onslow*, thòisich iad ag èigheach is a' brosnachadh a' chriutha air sgàth na spàirn a rinn iad. Bha an *Onslow* air a bhith mar ròn beag an aghaidh muc-mhara mhairbhteach.

Bha an *Hipper* air seòladh dhan ear aig 31 knots (36mph) agus cha robh dad a' chinnt aig Caiptean Kinloch càit an robh i a-nis. Bha sguaile-sneachda mhòr ann agus bha bleideagan a' dannsadh agus a' ruidhleadh san adhar mar dheamhain agus a' falach gach bàta bho chèile.

Cuideachd, bha teachdaireachdan a' tighinn thuige bhon *Rhododendron* a bha air làimh dheis a' chonbhoidh, gum faca i ceò agus soitheach mòr a' dèanamh air JW51B agus gun robh am bàta seo dìreach dà mhìle (3.2km) air falbh. Thàinig an aon naidheachd bho Lioftanant Comanndair Marchant a bha air an *Onslow*. B' e seo an *Lützow* agus an sguadran aice.

Seo mar a dh'inns Marchant mun t-suidheachadh ann an agallamh an dèidh a' chogaidh:[67]

> At a range of about 6000 yards [5486m], on a bearing of green 40 [off the destroyer's starboard bow], silently slid into view the huge silhouette of the German pocket battleship *Lützow*. She was steering NNE. If, in our predicament, we could see her, surely she could see us and the…ships with us. So we simply stopped breathing and waited for the first broadside. But nothing happened! As quietly as she came into view she slid out – a ghost ship if ever there was. Many prayers winged aloft during those charged and tense minutes.

Bha an *Rhododendron* anns an aon shuidheachadh. Nan robh an *Lützow* air a faicinn no air losgadh oirre, bha an cogadh air a bhith seachad dhìse agus dhan chriutha aice. A rèir aithrisean, bha Caiptean Sayers anns an *Rhododendron* airson losgadh air an *Lützow*. Cha robh a' Chiad Lioftanant cinnteach gun cuala e an t-òrdugh ceart. Nuair a thuig e gun robh e air an caiptean a chluinntinn gu ceart, chuir e facal na chluais ag ràdh gur dòcha nach d' rachadh ro mhath leis an *Rhododendron* aig an àm seo an aghaidh an *Lützow*. Gu fortanach, cha do loisg Sayers air mòr-chrùsair an Kriegsmarine, agus chaidh an *Lützow* seachad oirre, mar a chaidh i seachad air an *Onslow*.

Aig 10:45 thog an ràdar aig *Lützow* grunnan thargaidean a bha am broinn na sguaile-sneachda, ach cha robh an luchd-faire air bòrd a' faicinn dad tro na prosbaigean aca. Bha Caiptean Stange fo

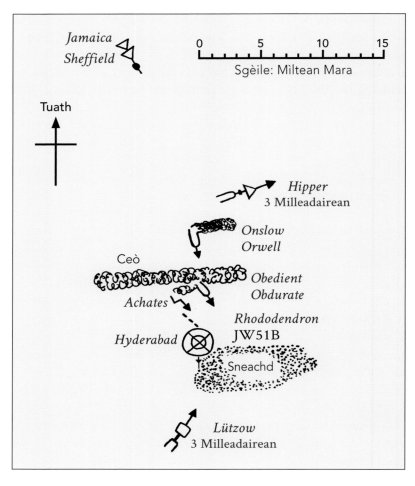

An suidheachadh aig 10:30 sa mhadainn, 31 Dùbhlachd, 1942

imcheist. Bha e an ìre mhath cinnteach gur e soithichean an nàmhad a bha am broinn na sguaile-sneachda. Ghluais Stange an sguadran aige do dh'àite na b' fheàrr airson dearbhadh cò iad na soithichean a chunnaic e air an sgrìon-ràdar. Nam b' e bàtaichean-marsantachd a bha annta, bheireadh e ionnsaigh orra.

Seo mar a sgrìobh Stange air an *Lützow*:[68]

> To avoid observation from *Lützow* being obscured by the snow squalls, and smoke drifting south. I decided to proceed at low speed in the vicinity of the convoy, clear of the snow squalls, in order to take advantage of opportunities for attack as visibility improved.

Bha Stange air cothrom math a chall. Bha trì milleadairean còmhla ris agus torpedo aig gach soitheach. Bha dà mhilleadair ann le còig gunnaichean 5". Bha sia gunnaichean 11", ochd 5.9", sia 4.1", agus ochd torpedothan aig an *Lützow* fhèin. Leig Stange leis an fheachd aige a dhol cho faisg ri dhà no trì mìle air a' chonbhoidh gun losgadh air. Chaidh Opairèisean Regenbogen a dhealbh airson an dearbh shuidheachaidh sin, ach cha do ghabh e an cothrom a fhuair e.

Chùm Stange air dhan ear-thuath a' feuchainn ri dhol air thoiseach air an sguaile sneachda. Nuair a rinn e sin, thionndaidh e air ais dhan ear-dheas aig 15 knots (17mph) a' cumail ri oir na sguaile. Nan clìoraigeadh an aimsir bhiodh cothrom aige na soithichean air an sgrìon-ràdar aithneachadh. Ach tha tòrr den bheachd gur e a bha air cùl inntinn Stange, an t-òrdugh a fhuair e na bu tràithe bhon àrd-chomannd gun robh aig an *Lützow* ri siubhal a-mach dhan Atlantaig an dèidh Opairèisean Regenbögen agus, nam b' urrainn, gun robh aige ri leth den chonnadh-ghunna agus de na torpedothan a ghleidheadh.

Uair: 11.00

Mu 11:00 bha an *Lützow* a' stiùireadh dhan an ear-dheas 's a bhith an ear (SEbE) aig 12 knots (14mph). Chaidh am mor-chrùsair Gearmailteach fhaicinn leis an *Obedient* a bha còmhla ri *Obdurate* agus *Orwell*. Bha na trì milleadairean sin a' gluasad aig astar gu taobh an ear a' chonbhoidh gus iad fhèin a chumail eadar an conbhoidh agus an *Lützow*.[69]

27

MILLEADAIR AIR A MILLEADH

Diardaoin, 31 Dùbhlachd, 1942

Uair: 11:15

Bha na milleadairean Breatannach a' dèanamh an dìchill gus cumail ri cùrsa na luing-chogaidh Gearmailtich, gan suidheachadh fhèin eadar an *Lützow* agus an conbhoidh. Aig an àm seo dh'iarr Caiptean Kinloch air an *Achates* a thighinn còmhla ris:

Join me. Prolong the line to port.

Fhreagair an *Achates*:

Holed forward. Maximum speed 15 knots.

Cha b' urrainn dhan an *Achates* a dhol na bu luaithe leis na bha de dh'uisge a' tighinn a-steach air na tuill a rinn an *shrapnel*, agus a-nis bha tunnaichean de dh'uisge a' sloisreadh fon deic. An dèidh do Kinloch seo a thuigsinn, chuir e siognail:

Proceed to the head of the convoy and take Onslow under your orders.

Rinn an Caiptean Johns na chaidh òrdachadh agus ghluais e a-mach seachad air an sgrìon-ceò a bha e fhèin a' dèanamh. Anns an spot, mhothaich an *Hipper* dhan *Achates*. Bha an long-chogaidh Ghearmailteach a' tighinn a-nuas on ear-thuath gus ionnsaigh fheuchainn air a' chonbhoidh a-rithist.

Thòisich na salbhothan a' tighinn tarsainn agus, a-rithist, bha an rainnse aig na gunnairean Gearmailteach. Ghreasaich Caiptean Johns an *Achates*, a' fiaradh a-null 's a-nall a' feuchainn ris na sligean a sheachnadh.

Bha Lt Peyton Jones gu h-ìosal a' cumail sùil air an obair-chàraidh aig ceann a' bhàta. Dh'fhairich e an t-astar a' dol na b' àirde 's Caiptean Johns air tòiseachadh air gluasadan-seachnaidh a chur an gnìomh. B' e sin an t-adhbhar a thill a' Chiad Lioftanant dhan 'Transmitting Station' (TS) a bha fon dhrochaid. Ann an sin bha a h-uile sìon fo smachd agus sèimh. Bha òrduighean is fiosrachadh mun targaid a' tighinn agus a' falbh bhon 'controlling director' air an drochaid agus a' dol do na gunnaichean air a' bhàta. Cha robh Peyton Jones ach air sùil a thoirt air na bha a' tachairt anns an TS nuair a chuala agus a dh'fhairich e spreadhadh mòr. Chaidh crith uabhasach tron a' bhàta. Bha e follaiseach gun d' fhuair an *Achates* droch bhuille.

Caban ràdar

HMS *Achates* leis a' chaban ràdar air a chomharrachadh.   © Imperial War M

Bha triùir luchd-ràdar sa 'chaboose' (mar a bha aca fhèin air caban an ràdar a bha os cionn na drochaid): Fred Bean à Lunnainn, Ivor Roe à Manchester, agus Dàibhidh MacDhòmhnaill à Bhatarnais san Eilean Sgitheanach. Seo mar a chuimhnich Fred Bean cùisean:[70]

The 1st three shells missed but the fourth exploded just on our port side and that is when I caught my packet. I was operator on the RDF. I was passing to the bridge ranges and bearings of Jerry, then out went all the lights. There was a terrific splash. I felt something go into my right shoulder and hand. There was also another RDF rating with me [David Macdonald], and he had his stomach grazed and also Ivor the Wireless Mike, a piece caught his ear. Those two went down below and that was the last I saw of them. I went out on the bridge to be treated by the M.O. but I felt faint through loss of blood and I was taken to the Captain's Sea Cabin just under the bridge and there I remained... The M.O. injected morphine into me and that put me to sleep.

Gu h-inntinneach anns a' chunntas seo aig Fred Bean bha caomhradh no dhà far nach do dh'inns e gu mionaideach na thachair, agus bu bheag an t-iongnadh. A' bruidhinn ri banntrach Fred agus ris na balaich aige ann an 2013, chuala an t-ùghdar dè dha-rìribh a thachair dhan dithis eile. Bha Ivor air aon taobh de Fred agus nuair a spreadh an shrapnel a-steach dhan chaboose, bhuail pìos Ivor, ach cha b' ann anns a' chluais ach mun cheann, agus chaidh a dhì-cheannachadh. Bha e marbh anns an spot. Bhuail pìos eile de shrapnel Fred air cùl a ghualainn agus bha e air a dhroch leòn. Bhuail pìos eile Dàibhidh MacDhòmhnaill san stamaig agus b' e buille bhàsmhor a bha ann. Chaochail esan anns an spot cuideachd còmhla ri Ivor. Fad a bheatha bha bean Fred a' glanadh an lot aige, lot nach do leighis ceart a-riamh.

Seo, cuideachd, mar a chuir mac Fred Bean, Dàibhidh Bean ris an fhiosrachadh:

> I was told by my father that all three radar operators were on watch at the start of the enemy engagement. My father told me that he was working the very latest invention, the radar, (RDF 275).
>
> He said the radar was so sensitive he could not only see the Admiral *Hipper*, but also the huge shells being fired from it. After a few salvos the *Hipper* got the *Achates* range. I remember my father's exact words, 'They were b.st.rds. They were deadly accurate – by the time they had finished with us our ship was like a pepperpot.
>
> My father then saw a shell fired from the *Hipper* that was on direct course for the *Achates*. My father contacted the captain and informed him. Seconds later the shell landed. It was a direct hit that destroyed the bridge and killed everybody there.
>
> I am sorry to say that same shell killed the two radar operators sitting next to my father.

An dèidh na h-ionnsaigh sin, chunnaic an *Hipper* an *Onslow* agus an *Orwell* a' dlùthachadh, agus dh'atharraich i an cùrsa aice gu tuath agus eagal oirre gun robh an dà mhilleadair a' dol a losgadh thorpedothan. Bha cothrom aig Peyton Jones sgrùdadh a dhèanamh air cò chaidh a chall, agus bha e na bu mhiosa na bha e air saoilsinn. Bha an Comanndair AHT Johns marbh agus 40 neach eile.

Seo na chaidh a sgrìobhadh ann an aithisg[71] an dèidh làimh ann an 1954.

Is cinnteach gur e Lt Peyton Jones a thug seachad am fiosrachadh mionaideach anns a' phàipear seo ag innse mu dè thachair mu 11:18.

CONFIDENTIAL

ROYAL NAVAL STAFF COLLEGE, GREENWICH

APPENDIX A TO SCHEME NO. 1649

EXTRACTS FROM BATTLE SUMMARY NO. 22

CONVOYS JW51A, JW51B, RA51 DECEMBER, 1942

All Times Zone Minus One (ALFA)

…the *HIPPER* continued at high speed on course 220°, and at 11:15 engaged the *ACHATES*, then just clearing her smoke screen in response to orders from Commander Kinloch to join the *ONSLOW* ahead of the convoy. After three minutes, the *ACHATES* received a hit which crippled her, killing Lieut. Commander A.H.T. Johns her commanding officer, and some 40 others. Lieutenant Peyton-Jones, who then took command, found he could only overtake the convoy very slowly, so he disregarded his orders and continued to lay smoke as before.

An dèidh an spreadhaidh, ruith Peyton Jones a-mach às an TS a' coimhead suas agus sìos deic an *Achates*. Chan fhaca e milleadh an sin. An uair sin, rinn e air an drochaid. Aig bonn faradh na drochaid choinnich e ri balach òg agus an spreadhadh air a chur à cochall a chridhe. Thuirt am balach gun do dh'iarr an Yeoman air ruith airson a' Chiad Lioftanant.

Nuair a ràinig Peyton Jones an taigh-cuibhle, bha e follaiseach gun do thuit an t-slige air an drochaid gu h-àrd. Bha toll ann an làr na drochaid, agus bha na h-oirean a' lùbadh a-nuas. Bha an stiùireadair ann an tuaineil agus a' coimhead air a' mhilleadh mu thimcheall air. Shreap Peyton Jones suas dhan drochaid a' cleachdadh platform aon de na gunnaichean ack-ack oir cha robh mòran den fhàradh suas dhan drochaid air fhàgail.

Cha do dh'aithnich e an sealladh a bha mu choinneamh. Bha gach rud dubh agus loisgte – a' mheatailt, an t-uidheamachd, agus na daoine. B' e tròcair a bha ann nach b' urrainn dha na bha air fhàgail de na fir air an drochaid aithneachadh. Bha iad uile marbh: an Caiptean, Lt Cdr Johns, *No. 2* Lt Eric Marland, an Nabhaigeatar òg Fo-Lt Kenneth Highfield, na fir-siognailidh, an luchd-faire, agus obraichean an *A/S (Asdic)*. Os cionn a h-uile rud bha fàileadh searbh an spreadhaidh.

Sgrìobh Peyton Jones:

> Farther aft, the damage was less extensive although still effectively flattened as if by some giant hammer smashing down from above. Here men were lying, not all of them dead. I leant over Fred Barrett, the young sub-Lieutenant, who had been directing the gun armament, but he had been too badly wounded to tell me anything.

Shreap Peyton Jones seachad air na cuirp agus a' mhilleadh, a' casadaich air sgàth na toite. Chunnaic e *Yeoman* Albert Taylor a' crochadh thairis air rèile bhriste.[72] B' e mìorbhail a bha ann gun robh e beò agus gach duine eile timcheall air air an sgrios. Bha e fhathast ann an tuaineil agus air chrith. Ach, bha e an comas dha innse gu slaodach – ged a bha a cheann fhathast na bhreislich – dè na siognailean mu dheireadh a bha ann eadar an drochaid agus an *Obedient*.

Thuig Peyton Jones, an caiptean ùr, gun robh aon rud ann a dh'fheumadh e a chur ceart mus dèanadh e rud sam bith eile. Bha an *Achates* a' stiomadh aig 28 knots (32mph) 's a' dol ann an cearcall gu deas-bhòrd agus bha claonadh 20° dhan làimh chlì. Cha robh ach aon dòigh air bruidhinn ris an taigh-chuibhle gu h-ìosal agus b' e sin le bhith ag èigheach sìos tron toll fhiaclach a rinn an t-slige bhon *Hipper* ann an deic na drochaid. Dh'èigh a' Chiad Lioftanant sìos gu Hall agus dh'iarr e air a' chuibhle a chur gu 'midships' gus an sguireadh am milleadair a dhol timcheall ann an cearcall. Cha robh duine eile beò anns an taigh-chuibhle. Bha cuirp nan teileagrafairean nan laighe ri taobh nan ionnsramaidean aca a bha a-nis nan spealgan. Shuas gu h-àrd air an drochaid bha gach ionnsramaid ann an spealgan cuideachd, fiù 's a' chombaist. Le sin, bha Peyton Jones ro-thoilichte cluinntinn bhon chocsun gun robh an uidheamachd-stiùiridh ag obair mar bu chòir. Thàinig am milleadair timcheall dhan ear-dheas, agus lùghdaich an claonadh dhan taobh chlì. Ach, cha robh an teileagraf gu seòmar an einnsein ag obair agus dh'fheumadh cuideigin ruith sìos le òrduighean dhaibh.

Cha tug an *Hipper* fada gus an do dh'fheuch i air an *Achates* a-rithist agus thuit sligean dhan chuan air gach taobh dhith, a' cur stacan de dh'uisge suas dhan adhar. Thionndaidh am milleadair dhan làimh chlì gu bras, a' feuchainn ris an ath shalbho a sheachnadh. Aig an aon àm dh'iarr e air balach ruith le teachdaireachd dhan ghunna aig deireadh a' bhàta, an aon ghunna a bha fhathast ag obair. Cha deach an t-òrdugh a chur an gnìomh. Feumaidh gun deach am balach a mharbhadh air an t-slighe le shrapnel bho shlige a thàinig faisg.

On a ghabh Peyton Jones comannd, bha ceò air a bhith a' dalladh a shùilean. Bha cordite na theine gu h-ìosal air B *gundeck*. Le sin cha b' urrainn dha am bàta a bha a' losgadh air fhaicinn. Shaoil e gur e an *Hipper* a bha ann.

Gu h-obann, bha spreadhadh eile ann a thàinig gu math faisg agus a chuir barrachd shrapnel tro chliathaich an t-soithich. Dh'atharraich an caiptean ùr cùrsa a-rithist agus chuir e teachdaireachd gu seòmar an einnsein an t-astar a lùghdachadh gu 12 knots (14mph). An ath thuras a chunnaic e boillsgidhean dearga air fàire bha na sligean air an t-slighe gu bàta eile. Bha faochadh ann dhaibh an-dràsta co-dhiù.

Bha soithichean eile ri fhaicinn anns an leth-sholas agus le cuideachadh bho Taylor an Yeoman fhuair e a-mach cò b' iad. Bha an conbhoidh mu thrì mìle air falbh agus a' seòladh gu deas agus *Rhododendron*, *Hyderabad*, agus *Northern Gem* na chuideachd. Dhan ear-thuath, bha buidheann a bha a' seòladh gu luath – bha iad den bheachd gur iad sin na milleadairean Breatannach eile. Thuig e bho na thuirt Taylor gun robh an *Obedient* a-nis na Phrìomh Shoitheach dha na longan-cogaidh agus dhan chonbhoidh, agus gun deach an *Onslow* a chur gu taobh a' chonbhoidh far nach robh na Gearmailtich an sàs. Gu tuath bha boillsgidhean fhathast a' lasadh air fàire. Cha b' urrainn do Pheyton Jones obrachadh a-mach gu ceart dè bha suidheachadh nam bàtaichean a' ciallachadh, ach bha e den bheachd gun robh fhathast cunnart bhon taobh tuath. Thuig e gun robh an *Achates* ann an deagh shuidheachadh gus sgrion ceò a chur tarsainn cùl a' chonbhoidh. Chuir e roimhe gur e seo an rud a b' fheàrr a b' urrainn dhan *Achates* a dhèanamh gus an conbhoidh a dhìon. Chaidh an t-òrdugh sìos do sheòmar an einnsein agus thòisich ceò dubh tiugh a' stealladh a-mach às an fhunail a-rithist. Thòisich an *Achates* a' fiaradh a-null is a-nall aig deireadh a' chonbhoidh airson nam bàtaichean-marsantachd fhalach bho na Gearmailtich.

Thàinig fios bho Lioftanant Peter Wright dhan chaiptean ùr mun chall a rinn an *Hipper* air an *Achates*. Nochd a cheann thairis air taobh deas na drochaid, a rèir Peyton Jones[73], agus dh'inns e dha gun do spreadh an t-slige a mhill an drochaid dìreach fon drochaid fhèin. Dh'fhàg i sgàineadh mòr cruinn air cliathach a' bhàta mus deach i a-steach do sheòmar-ionnlaid nan seòladairean, agus aig an aon àm chuir i às dhan TS agus a' chuid mhòr den chriutha a bha ann.

Chuala Peyton Jones cuideachd gun robh sgàinidhean gu h-ìosal agus gun robh trì no ceithir seòmraichean a bharrachd a' lìonadh. Na bu mhiosa bha toll mòr air cliathaich a' bhàta ri taobh No. 2 Boiler Room. B' fheudar dhaibh an rùm seo a dhùnadh sìos agus fhàgail. Bha solas agus cumhachd a dhìth ann am mòran àitean san t-soitheach a-nis.

Thàinig Fo-lioftanant Anthony Davidson a bhruidhinn ri Peyton Jones cuideachd a dh'innse dha gun robh an teine air B gundeck às a-nis. (Air aon de na tionndaidhean aig an *Achates* a-steach dhan ghaoith, chaidh suaillichean thairis air an fhocsail a mhùch an teine.)[74] Bha àireamh mhòr de leòintich ann, dh'aithris Davidson, agus bha na deicichean agus na trannsachan loma-làn leothasan agus leis na mairbh.

B' e dùbhlan mòr a bha mu choinneamh a' chaiptein ùire a bha dìreach 24 bliadhna a dh'aois. Bha am bàta a' lìonadh; bha i sìos aig a' cheann agus uisge a' taomadh a-steach innte. Gu cinnteach bha i air tòiseachadh a dhol fodha.

A bharrachd air sin, cha robh sgeul air Dr MacFarlane. O chionn ghoirid thòisich sligean àrd-spreadhach a' sgàineadh os cionn an *Achates* agus bha an shrapnel bhuapa a' dortadh a-nuas air an deic. Bhiodh MacFarlane a' ruith eadar na stèiseanan ciad-cobhair a bha air an cur air dòigh aig gach ceann den t-soitheach gus cuideachadh a thoirt dha na leòintich. Tha e glè choltach gun deach an dotair a sguabadh seachad air cliathaich a' bhàta le osag a thigeadh bho na sligean sin. Bha an dotair air a bhith na chuidiche mòr on a thòisich am blàr.

Chùm an sgioba meidigeach aige a' dol a dh'aindeoin a h-uile càil. Cha b' e obair fhurasta a bha ann. Chunnaic fear dhiubh, George Barker, seòladair le pìos shrapnel a' stobadh a-mach às a cheann. Chuidich e fear eile a bha ag èigheach nach b' urrainn dha a chasan a ghluasad. Chaill e a mhothachadh nuair a tharraing Seòras a-mach às an spruilleach e. Cha robh casan air an duine. Bha buill chorp air feadh an àite, dh'aithris Seòras an dèidh làimh.[75]

Uair: 11:30

Bha e 11:30. Cha robh Peyton Jones air a bhith os cionn ghnothaichean ach airson beagan mhionaidean. A bharrachd air na seòid a bha a' toirt cobhair dha na leòintich, bha seòid eile air feadh a' bhàta a' dèanamh obair ionmhalta. Ann an No. 2 Boiler Room bha Stocair PO Robert Bell. Bha esan os cionn an t-seòmair seo nuair a spreadh slige faisg air an *Achates*. Thòisich an t-uisge a' dortadh a-steach. Mhisnich e an sgioba aige. Dh'fheuch e ris na tuill ann an cliathaich a' bhàta a lìonadh. Chùm e brùthadh na smùide aig ìre àrd cho fada agus a b' urrainn dha a dh'aindeoin a' mhillidh a chaidh a dhèanamh. Chaidh solais an t-seòmair às, ach chùm Bell a' dol anns an dorchadas agus anns an uisge fhuar a bha ag èirigh suas mu mheadhan. Cha do dh'fhàg e No. 2 Boiler Room gus an deach òrdachadh a-mach.

Bha Coinneach MacÌomhair on Bhac, Eilean Leòdhais, a' slaodadh chompanaich a bha leòinte a-mach à seòmar a bha a' lìonadh gu luath. Thug e dhan stèisean-cobhair iad 's aige ri ruith air ais is air adhart air deic a bha air a frasadh le spealgan *shrapnel*. An uair sin, chaidh e suas dha na bha air fhàgail den drochaid agus den taigh-chuibhle agus ghabh e àite Hall a bha leòinte.

Anns an oifis W/T (Wireless/Telegraphy), bha William Bartrip a' feuchainn ris an uidheam-sgaoilidh a chàradh (tx) agus an uidheam-gabhadair (rx) anns an dorchadas. Aig an aon àm bha an teileagrafaiche, Eric Dickenson, a-muigh a' feuchainn ri aerialan 'jury' a chur suas an àite nan aerialan a bha air am milleadh. Fhad 's a bha e a' feuchainn ri cùisean a chàradh, chaidh a leagail le osag bho spreadhadh slige bhon *Hipper*. Chùm e air ge-tà, agus chuir e crìoch air an obair. Cho fad agus a bha an *Achates* a' dèiligeadh ris na rudan sin, bha an *Hipper* a' dèanamh air a' chonbhoidh mar chearban mòr liath.

28

ADMARAL BURNETT ANN AM FORCE 'R'

Air an *Empire Archer*, bha Comodoir Melhuish na sheasamh air a' Mhonkey Island (an drochaid as àirde air soitheach) còmhla ris an Yeoman aige, Matthews. Fhuair e fios gun robh an *Hipper* air a làimh chlì. Dh'èigh Matthews sìos gu Madley anns an taigh-chuibhle. Chuir Madley air solais uaine agus dearga – an siognail airson tionndadh 45° gu deas-bhòrd. Chuir Madley na solais dheth – an siognail airson an tionndadh a chur an gnìomh – agus rinn na bàtaichean-marsantachd an còigeamh tionndadh èiginneach aca a' mhadainn ud. Ghluais iad bhon ear-dheas gu cùrsa a bha dìreach an cridhe na h-àirde a deas. Bha an nàmhaid a-nis air cùl a' chonbhoidh.

Bha an *Hipper* air a bhith a' losgadh air na trì milleadairean agus ag amas a dh'aona ghnothach air an *Obedient* airson sia mionaidean. Thuit sligean air gach taobh den *Obedient*. Chaidh na h-aerialan uèirleas aice a ghearradh. Às aonais nan aerialan *jury*, cha robh comas aig Kinloch conaltradh a dhèanamh ris na milleadairean eile ach tro shiognailean solais. Air sgàth seo, thug e comannd air an fheachd-dìona gu Caiptean Sclater anns an *Obdurate*. Chaidh an siognail 'Take charge of destroyers' a chur aig 11:39.

Gu h-iongantach, aig an àm seo thionndaidh an *Hipper* air falbh dhan iar aig 31 knots (36mph). Nuair a chunnaic na trì milleadairean seo, thionndaidh iadsan air falbh agus chuir iad ceò sìos gus an conbhoidh a dhìon. Bha Iarr-Admaral Kummetz air tionndadh air sgàth 's gun robh dragh air gun robh na milleadairean a' dol a dh'fheuchainn air leis na torpedothan aca.[76] Aig 11:36, chuir an *Hipper*[77] siognail dhan *Lützow*:

In action with escorting force. No cruiser with the convoy.

Ach, gun fhiosta do Kummetz bha Admaral Burnett ann am *Force R* air a bhith a' seòladh dhan raon-chatha aig 30 knots agus bha na crùsairean HMS *Sheffield* agus HMS *Jamaica* a-nis air ruigheachd. Bha an *Hipper* air a bhith cho trang a' dèiligeadh ris na milleadairean is nach robh iad a' cumail sùil air na sgrionaichean ràdar aca. Le sin, nuair a thuit 24 sligean timcheall air an t-soitheach, bha crith-eagal air a' chriutha. Bha *Sheffield* agus *Jamaica* air na gunnaichean 6" aca a losgadh agus bhuail iad an *Hipper*, cha mhòr anns a' bhad. Tharraing an *Hipper* às an cath is i air a leòn.

Aig an aon àm ràinig am milleadair Gearmailteach, an *Eckholdt*. Cha robh fios aig duine gun robh an *Eckholdt* dìreach air HMS *Bramble* a chur fodha is gun deach gach duine air bòrd am bàta-sguabaidh mhèinnichean sin a chall. Bha HMS *Bramble* air a bhith a' sireadh shoithichean-conadail a' chonbhoidh mus do choinnich i ris an *Eckholdt* ann an suidheachadh 73°18'N, 30°06'E.

Ach ann am beagan mhionaidean, bha an *Eckholdt* i fhèin a' dol a choinneachadh muinntir HMS *Bramble* air grunnd na mara. Gu mì-fhortanach dhìse, smaoinich an *Eckholdt* gur e soithichean Gearmailteach a bha anns na crùsairean *Sheffield* agus *Jamaica* agus rinn i dìreach orra. Chan e breug a tha ann a ràdh gun robh i air a reubadh às a chèile. Chaidh a bualadh na teis-mheadhan agus bhris i na dà leth. Chaidh an *Eckholdt* agus gach duine a bha oirre fodha taobh a-staigh dà mhionaid. Fhuair am milleadair Gearmailteach eile a bha còmhla ris an *Eckholdt*, an *Richard Beitzen*, air falbh gun sgath tachairt rithe – cuibhle an fhortain.

Thuit a' chiad salbho bho HMS *Sheffield* air gach taobh den *Hipper* agus leis an dàrna salbho chaidh aon slige a-steach gu *No. 3 Boiler Room* agus chuir tèile an *hanger* aice na theine. Bha am fortan

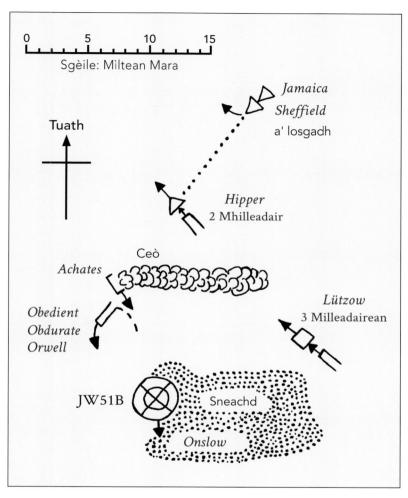

0   5   10   15
Sgèile: Mìltean Mara

Tuath

Jamaica
Sheffield
a' losgadh

Hipper
2 Mhilleadair

Ceò

Achates

Obedient
Obdurate
Orwell

Lützow
3 Milleadairean

JW51B

Sneachd

Onslow

An suidheachadh aig 11:30 sa mhadainn

(a)

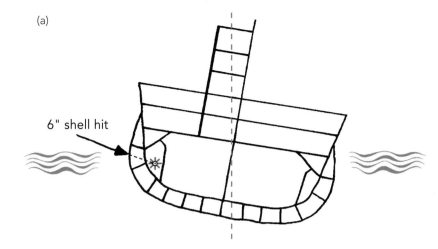

6" shell hit

(a) 6 inch (152mm) shell causes severe damage to No.3 boiler room as Hipper heels over to port (cross section looking aft)

(b) 6 inch (152mm) shell enters starboard side, traverses midship compartments causing damage and casualties, but fails to explode (cross-section looking forward)

(b)

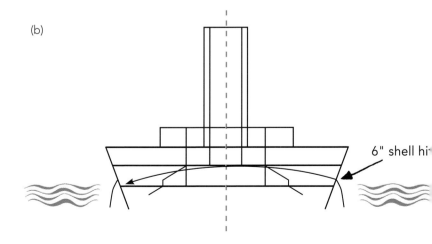

6" shell hit

ann am fàbhar *Sheffield* leis an darna salbho. Bhuail aon slige dìreach nuair a bha an *Hipper* a' tionndadh gu deas-bhòrd 's i air fiaradh. Chaidh an t-slige a-steach innte 11' 6" (3.5m) fo loidhne an uisge, agus le sin fon chrios armachd a bha ruith timcheall oirre.

Cuideachd, shàth an t-slige a chaidh a-steach gu No. 3 Boiler Room tanca airson ola an toiseach mus deach i a-steach do sheòmar a' ghoileadair. Spreadh an t-slige. Thòisich teine agus bha uisge a' dòrtadh a-steach còmhla ris an ola bhon tanca a chaidh a sgàineadh. Gu h-iongantach, b' e Gunther Walter, meit einnseanaireachd, an aon duine a chaidh a mharbhadh. Fhuair e lotan mun cheann agus chaidh a bhàthadh. Bha Gearmailteach eile, Coirpilear-lannsa Einnseanaireachd Heinz Hess air a leòn, agus chaidh esan a thoirt gu stèisean ciad-cobhair. Chaidh na teintean a chur fo smachd gu ìre le innealan-smàlaidh Ardexin. Ach le mìltean de thunnaichean uisge air dòrtadh a-steach dhan t-soitheach, dh'fheumadh iad seòmar a' ghoileadair a dhùnadh dheth. Le sin, chaill iad prìomh einnsean a' bhàta air an taobh cheart. Lùghdaich an *Hipper* an t-astar aice gu 28 knots (32mph).[78]

Bha Iarr-Admaral Kummetz a-nis a' seòladh dhan iar gus coinneachadh ris an *Lützow*. Aig an àm seo bha Caiptean Stange air bòrd an *Lützow* air grunnan thargaidean a chomharrachadh tron chèo 's tron toit. Bha am bàta-marsantachd a b' fhaisge trì mìle air falbh agus an soitheach a b' fhaide air falbh a seachd. Bha rainnse 15 mìle aig gunnaichean an *Lützow*, ach cha do bhuail gin de na gunnaichean 11", no na gunnaichean 6" targaid sam bith ged a loisg an *Hipper* agus an *Lützow* 162 sligean eatarra. Bha Stange air cothrom a chall – cothrom nach fhaigheadh e a-rithist.[79]

29

WOLFSCHANZE – A' GHEARMAILT

Diardaoin, 31 Dùbhlachd, 1942

Uair: 11:47

Gu h-annasach, bha an innleachd aig Admaral Kummetz, Opairèisein Regenbögen, air obrachadh air an aon dòigh. Ghlac an *Hipper* aire nam bàtaichean-dìon agus a' chonbhoidh. Thionndaidh an conbhoidh gu deas a dh'ionnsaigh na h-ìne eile den ghiomach Ghearmailteach, an *Lützow*. Bha an conbhoidh agus an *Lützow* air cùrsa coinneachadh ri chèile. Ach, cha robh misneachd gu leòr aig caipteanan an dà long-chogaidh airson sabaid mar seo. Nuair a bha e a' dèanamh air *Altenfjord*, sgrìobh Kummetz anns an leabhar-latha aige:

> As we withdrew from the battle scene, it was hard to escape the feeling that, even though the situation appeared to be in our favour, we were unable to get at the convoy, and scored no successes whatsoever.

Anns na prìomh oifisean aige ann an Wolfsschanzen bha Hitler a' feitheamh gu mì-fhoighidneach airson fiosrachadh mu Opairèisean Regenbögen. Aig 11:47, chuir am bàt'-aiginn U-354 teachdaireachd dà-sheaghach ag innse mun bhuaidh mhòr a choisinn Kummetz agus a chuideachd. Ghlèidh Kummetz sàmhachd rèidio

186

air an t-slighe air ais gu *Altenfjord*. Agus, an dèidh dhan *Hipper* a chur air acair, chuir mì-fhortan no dhà dàil air an teachdaireachd a bha e a' dol a chur gu Hitler anns a' Ghearmailt. Cha chuala Hitler bho Kummetz gu feasgar an ath latha. Anns an eadar-ama ge-tà bha Hitler air cluinntinn air a' BhBC mar a dh'fhàg an dà mhòr-chrùsair aig a' Ghearmailt raon a' bhlàir.

Ged a bha Hitler e fhèin ri choireachadh airson bacadh agus gealtachd a chur air na comanndairean aige, thug e a' mhionach à Admaral Krancke, a bha na oifigear-ceangail airson an Kriegsmarine anns an *OKW* (Oberkommando der Wehrmacht Hauptquartier – Àrd-chomannd nam feachdan Nàsach). Bha e dona gu leòr gun do dh'fhàilnich *Regenbögen*, ach bha Hitler a' smaoineachadh gun robh an dàil anns an teachdaireachd a thàinig bho Kummetz a dh'aona ghnothach agus gun robh leisg air innse mu fhàilnigeadh an Kriegsmarine. Bha Hitler den bheachd gun robh seo a' teannadh air ceannaireceachd.

Chaidh Admaral Raedar a ghairm gu prìomh-oifis an *OKW*. Bha fios aige dè bha roimhe – droch-bheul agus fearg *Führer*. Ach, cha robh dùil aig Raedar ris na chuala e bho Hitler. Mhair am mì-shealbh uair a thìde gu leth. Leis na cuislean na amhaich gu spreadhadh, dh'èigh Hitler gun robh cabhlach na Gearmailt air uachdar na mara gun fheum – agus gur e sin am beachd a bha air a bhith aige o chionn fhada. Agus, nach robh an luchd-obrach no an comannd comasach gu leòr.

Le sin, thuirt Hitler, gum biodh na trì longan-cogaidh *Tirpitz*, *Schleswig-Holstein* agus *Schlesien*, na longan-cogaidh pòcaid *Admiral Scheer* agus *Lützow*, na crùsairean-cogaidh *Scharnhorst* agus *Gneisenau*, na mòr-chrùsairean *Hipper* agus *Prinz Eugen*, agus na crùsairean aotrom *Emden*, *Köln*, *Leipzig* agus *Nürnberg* air an dì-choimiseanadh agus air am briseadh suas. Bhiodh na gunnaichean air an toirt dhiubh agus air an cleachdadh air tìr. O seo a-mach b' e milleadair an soitheach bu mhotha a bhiodh aig an Kriegsmarine. Fhuair Admaral Raedar òrdugh am plana-gnìomha a chur air dòigh. Cha b' urrainn do Raedar creidsinn na bha a' gabhail àite.

Nuair a thàinig Raedar air ais le plana an dèidh làimh, dh'fheuch e toirt air Hitler a bheachd atharrachadh. Sheall e nach saoradh am plana aig Hitler ach 300 oifigear agus 8,500 seòladair. Chan fhòghnadh a' mheatailt bho na soithichean-cogaidh ach feumalachdan na Gearmailt airson aon mhìos. Dh'fheumadh e 7,000 neach-obrach airson an obair-bhrisidh, daoine air am biodh feum ann an àitean cudromach eile. A bharrachd air sin, bu bheag am feum a dhèanadh e do dh'fheachd nam bàtaichean-aiginn. Fiù 's nam biodh an stàilinn gu lèir a thigeadh bho shoithichean an Kriegsmarine air a cleachdadh, cha bhiodh e an comas dhaibh ach seachd bàtaichean-U a thogail gach mìos. Agus nam biodh na gunnaichean air an cleachdadh air tìr, bheireadh e bliadhna mus biodh iad uile deiseil airson an cleachdadh anns an dòigh sin. Agus cha bhiodh a' mhòr-chuid den 300 oifigear agus den 7,000 seòladair a bhiodh air an saoradh bho na longan-cogaidh, freagarrach airson seirbheis bhàtaichean-aiginn. Le sin cho-dhùin Raedar:

> I am convinced that the smaller nucleus fleet of destroyers would be unable to accomplish the task assigned to it. The decommissioning of our major assets will hand the enemy a substantial victory at no cost and will be seen by them as a lack of resolve.

Cha do ghabh Hitler ris an argamaid aig Raedar air dòigh air bith. Thàinig Göring, a bha os cionn an Luftwaffe, a-steach an uair sin. Dh'inns e mun àireimh mhòir de phlèanaichean a bha aige airson na bàtaichean mòra sin a dhìon, fhad 's a bha iad air acair, 's iad gun fheum ann am fìordan Lochlannach. Agus, bha na plèanaichean sin a dhìth airson a' front san ear. Cha tug e fada airson Raedar tuigsinn nach robh Hitler a' dol a dh'atharrachadh a bheachd agus air 30 Faoilleach 1943, nuair a bha Raedar agus Hitler còmhla leotha fhèin, leig e seachad a dhreuchd.

Cha robh e na iongnadh do mhòran gun d' fhuair Admaral Dönitz an obair aig Raedar. B' e fear a bha adhartach air a shon fhèin a bha ann agus, rud a bha cudromach ann an sùilean Hitler, bha e os cionn feachd nam bàtaichean-U. Bha Dönitz den bheachd gum b' urrainn do na bàtaichean-aiginn an cogadh a bhuannachadh airson Hitler. Ach, cha deach ach beagan mhìosan seachad mus robh e fhèin ag argamaid gum bu chòir an *Tirpitz* agus an *Scharnhorst* a bhith air an gleidheadh, agus sin a thachair, agus chaidh na prìomh shoithichean eile a ghleidheadh cuideachd.[80]

30

AIR BÒRD HMS *ACHATES*

Diardaoin, 31 Dùbhlachd, 1942

Uair: 13:00

Fhad 's a bha am blàr a' dol air adhart agus *Force R* a' strì leis an Kriegsmarine, bha Lioftanant Peyton Jones a' feuchainn ri obrachadh a-mach dè a b' urrainn dha a dhèanamh airson cùisean a leasachadh air bòrd HMS *Achates*. Cha do thuig e an toiseach an gàbhadh san robh an soitheach, agus bha e a' cnuasachadh air an *Achates* a thoirt dhan Gheodha Kola. Bha e fiù 's a' smaoineachadh gun robh an trèanadh a fhuair e a cheana air ullachadh airson an ama seo. Thòisich e a' smaoineachadh air Loftus Peyton Jones eile, a thug ainm dha. Bha a' chiad Loftus air a bhith ann am Blàr Iutland sa Chiad Chogadh agus e na chomanndair air HMS *Shark*. Dè bhiodh esan air a dhèanamh anns an t-suidheachadh seo? Dh'aidich Lioftanant Peyton Jones an dèidh làimh gur e smuaintean mar sin a ghlèidh inntinn bhon sgrios agus bhon bhàs a bha timcheall air, gun a dhol air chrith agus gun gèilleadh do na h-uabhasan mu chuairt air. Thuirt e:

I was conscious only of the failing light and increasing cold, wondering what the other destroyers were doing and how it all would end. Slowly, as time passed, the list to port increased and, as it did so, more and more holes, as yet unplugged, were brought below the water line. Eventually, at about 13:00, Peter Wright came up to report that, although the fight was still going on, it was no longer possible to maintain steam in Number One boiler, the only one left. Smoke stopped belching from the funnel and *Achates* wallowed to a halt some three miles on the starboard quarter of the convoy.

"What are you going to do now?" he asked me.

"Get someone to take us in tow," I replied. "Tell Davidson to prepare to tow aft."

"We'll do our best," he said with typical cheerfulness as he disappeared from view. Sadly, that was the last I ever saw of him for he did not survive the sinking. No one could have worked more valiantly to save the ship and his courageous example inspired his shipmates to the very end.[81]

Bha Taylor, an Yeoman, ag obrachadh an lampa-bhogsa 's a' gairm air a' bhàta-dhìon a b' fhaisge a thighinn agus mar a thachair b' e sin an *Northern Gem*. Chaidh an siognail a-mach:[82]

Not under control. Please stand by me.

Agus beagan an dèidh sin chuir e ris an siognail:

Request to be taken in tow.

Ach, ann am beagan ùine, thàinig Fo-Lt Davidson air ais agus thuirt e nach biodh e comasach an *Achates* a thobhadh air sgàth is gun robh leithid de dh'fhiaradh oirre. Thuig Peyton Jones nach robh ach aon fhuasgladh air a' chùis, agus b' e sin dèanamh deiseil airson cùl a chur ris a' bhàta. Dh'iarr e air Davidson na bàtaichean-sàbhalaidh agus na Carley Floats fhaighinn deiseil airson an cur air bhog, agus a h-uile duine fhaighinn suas dhan deic uachdarach. Seo mar a chuir Peyton Jones e:

Clambering across the port after-corner of the bridge, I saw that the whaler, still secured in its davits, was already awash and realised just how great were the odds against our remaining afloat. I had become so accustomed to the slowly increasing list that I may already have left things too late, for by now movement around the ship had become very difficult. Many were the acts of bravery performed in getting the more seriosuly wounded on deck, and some were to pay for this devotion with their lives.[83]

Lampa-bogsa

31

AIR BÒRD HMT *NORTHERN GEM*

Diardaoin, 31 Dùbhlachd, 1942

Uair: 13:00

Nuair a chuir Yeoman Albert Taylor an siognail aige le seann lampa-bogsa, bha duilgheadas aig sgiobair an *Northern Gem*, Lioftanant Horace Aisthorpe, a thuigsinn anns an leth-sholas. An toiseach bha e den bheachd gur e an nàmhaid a bha ga chur agus chùm e air ais bhon t-soitheach gun fhios nach e *ruse de guerre* a bha ann.[84]

Air an *Achates* cha robh fhios aca carson a bha am bàta-cobhair a' cumail air falbh bhuapa, agus dh'iarr Peyton Jones air an Yeoman an siognail a chur a-rithist. Cha d' fhuair an Yeoman ach facal no dhà a shiognaileadh nuair a thòisich am milleadair gu slaodach a dhol air a cliathaich.

Le cinnt a-nis nach b' e an nàmhaid a bha ann, dhlùthaich an *Northern Gem* air a' mhilleadair. Bha i air ullachadh a dhèanamh gus seòladairean an *Achates* a thogail agus seo mar a chuimhnich cocsun an *Northern Gem*, Sydney A Kerslake, an gnothach:[85]

…we were told that the *Achates* was in a bad way, and was in no condition to be towed, and that we were going to stand by her. Rescue nets were put over the port side, and heaving lines were got ready; those of our crew who were not doing essential work were positioning themselves along the full length of the port side, as we came up on the starboard side of the stricken *Achates*.

Am bàta-sàbhalaidh HMT *Northern Gem* © Imperial War M
a' falbh a Hvalfjord, Innis Tìle

She certainly seemed in a bad way, from what I could see of
her as both ships were being lifted on the top of the heavy
broken swell. She looked well down by the stern, and had a
great list over to port.

Nuair a theannaich an tràlair, thòisich an *Achates* a' cur car dhi
fhèin mar mhuc-mhara mhòr a bha a' tionndadh anns a' mhuir
airson an turais mu dheireadh. Chaidh cuid den chriutha còmhla
ri Fo-lioftanant Anthony Davidson gus na ròpan a bha a' ceangal
nan Carley Floats agus nan rafts a ghearradh (cha robh anns na rafts
ach lìn thiugha le putaichean àrca).

Bha claonadh a' bhàta a' ciallachadh gum biodh e doirbh na
fàraidhean a bha fon deic a shreap. Agus, nuair a chaidh an t-òrdugh

194

Carley Floats

a thoirt seachad gach duine a dhol air an deic a b' àirde, ruith cuid sìos dhan Sick Bay agus dha na Stèiseanan-Cobhair gus na leòintich a shàbhaladh. Bha e doirbh na fàraidhean a dhìreadh leotha agus b' fheudar dhaibh cuid de na leòintich a tharraing suas. Ach, bha cuid ann nach gabhadh gluasad agus roghnaich Drummond, Manaidsear na Biadh-lainn, agus an Stiùbhard, Ailean Jones, fuireach còmhla riutha, ged a bha fios aca gun robh an sòitheach an impis a dhol fodha.

Fhad 's a bha an obair leis na leòintich a' dol air adhart, bha PO Teileagrafair Bartripp a' dol timcheall na drochaid, an taigh-chuibhle, agus oifis an uèirleas a' dèanamh cinnteach gun robh na leabhraichean dìomhair uile (saifirean dìomhair, òrduighean, agus leabhraichean reifreans) air an glasadh anns a' phreas-làidir, air eagal 's gun seòladh iad air an t-sàl agus gun togadh an nàmhaid iad.

195

Manaidsear na biadh-lainn
George Albert Drummond

Bha an *Achates* a' dol fodha. Bha a taobh clì – an taobh a bha mar shìolachan leis an shrapnel – cha mhòr fon uisge. Bha an sàl a' dòrtadh a-steach innte tron fhunail agus tro na haitsean gu na deiceannan gu h-ìosal. Bha Drummond agus Ailean Jones air an glacadh còmhla ris na leòintich nach do thrèig iad. Chaidh iad uile a bhàthadh.

Air an drochaid, bha Peyton Jones agus Taylor a' strì gus faighinn gu cliathaich an taigh-chuibhle, a bha co-shìnte ris a' mhuir. Choimhead iad sìos tro dhoras fosgailte an taigh-chuibhle. Na bhroinn bha dithis a' strì anns an dorchadas gus am beathannan fhèin a shàbhladh. B' e aon dhiubh Barret, am Fo-lioftanant a bha air a dhroch lèon. Shlaod Peyton Jones agus Taylor an dithis a-mach às an taigh-chuibhle. Seo mar a dh'inns Peyton Jones:

> Looking down into the wheelhouse passage at our feet I saw Fred Barrett being helped by Able Seaman MacIver out of the Captain's sea cabin and, reaching down, we hauled them up beside us.

Bha a' chuid bu mhotha de na leòintich a-nis air cliathaich a' bhàta, ach cha do mhair an suidheachadh seo fada. Smaoinich Peyton Jones gum bu chòir dha a' phrosbaig a bha crochte mu amhaich a thoirt dheth. Bha e dìreach air a chrochadh air cnag nuair a chuir an *Achates* car dhi fhèin:

> I recall having time to unsling my binoculars from around my neck and hang them carefully on some convenient projection before the ship completed her capsize and the sea surged over our heads. The water, needless to say, was bitterly cold, only one degree I believe above freezing, but it took a moment or two to penetrate my many layers of clothing and I struck out to get clear of the ship. Looking back, I saw the dark outline of her screws and rudder as she slowly disappeared, stern pointing to the sky, and felt a sudden stab of sorrow at this sad end to so much endeavour.[86]

Bha an *Achates* air a dhol fodha cho luath is gun do shlug i mòran sìos còmhla rithe, nam measg an Einnseanair Peter Wright, agus Coinneach MacÌomhair a bha, beagan mhionaidean ron sin air a shàbhaladh às an taigh-chuibhle.

Anns a' bhreislich, chaill Peyton Jones sealladh air na companaich a bha air a bhith còmhla ris air cliathaich an taigh-chuibhle. Ach, mhothaich e gun d' fhuair àireamh mhòr de na Carley Floats agus na rafts air falbh bhon bhàta agus na inntinn fhèin thug e taing do Davidson agus don sgioba aige airson an obair a rinn iad. Bha aon de na rafts faisg air agus shnàmh e ga ionnsaigh agus shreap e air bòrd.

B' e Fred Bean an aon duine a fhuair às an stèisean-ràdar beò agus bha e air a bhith na shuain airson uairean a thìde fo bhuaidh morphine. Seo mar a chuimhnich e na mòmaidean mu dheireadh air an *Achates*:[87]

> I was taken to the Captain's Sea Cabin just under the Bridge and there I remained for five hours unconscious. The M.O.

injected morphine into me and that put me to sleep. The next thing I remembered was when the ship listed right over to port and I was thrown out of my bunk. I wondered what had happened until I saw the water filling the cabin. I waded through the water and up onto the Gun Deck. I had a hard job to climb up there. At one time, I thought I was trapped… a ladder stopped me from getting up. And the water came, coming higher and higher. Oh boy, was I scared.

…I managed to get my gammy arm working and clawed my way onto the Gun Deck. The position of the ship was right over, 90 degrees, and she was speedily sinking bows first. I had to work fast. I was still feeling rather dazed after the morphine injection. I had only enough strength to get my head and shoulders onto the Gun Deck. I shouted for the 1st Lieutenant [Peyton Jones] who was waiting to jump into the water. He came up to me and helped me up. By this time we were knee deep in water. There were three other chaps on the Gun Deck as well. To our luck a Carley Float just passed about 5 yards away from where I was standing. One of the chaps jumped for it and landed…I thought what he could do I can do. So I jumped, but not into it. I just managed to grab hold of the float. Jimmy The One [Peyton Jones] was the next to jump and he made it. When he was in, he helped me into the float. By the time I was settled down, there was about five men on the float, and about 6 hanging around it, doing the crawl with their free hand, and as luck was with us we drifted towards the *Northern Gem* (armed trawler) which was about 75 yards away.

I turned around just in time to see the ship's bows disappearing. She must have turned on her even keel while sinking. For she was going down at about 45 degrees, and she went quite quickly. During all this period, it was dark and you could only see about 100 yards. While going towards the trawler, we all sang 'You are my Sunshine', not 'Roll Out the Barrel' as the papers stated. By the time the song was finished, we had quite a crowd hanging on around the float, and a few chaps got into it. It was then I noticed the Coxswain trying his utmost to get the float towards the trawler and he made a good job of it.

When we arrived at the ship's side, which took about a quarter of an hour all told, we saw another float alongside and quite a number of chaps treading water and waiting to be hauled up… a few more strung onto the Float. There was a little panic for the first time, but that was soon got under control. Well, then our Float turned turtle and in I went again. Then all the lines came over the side [of the *Northern Gem*] and most of the chaps went to the ship's side and got on board. But, I stuck to the float until the panic died down. There was only 3 chaps in the float by this time and I was the only one hanging on. I asked the Signal Officer if he would lift me in, but he said he was too weak. So, I asked Jimmy The One again and once more he gave me a hand and I got into the float. Later the Signal Officer died on board with shrapnel in his stomach–tough luck.

Air bòrd an *Northern Gem*, bha an sgiobair, Lioftanant Horace Aisthorpe, a' cumail sùil air an *Achates*. Sgrìobh e gun robh e a' faicinn nan seòladairean 's iad air gluasad gu cliathaich a' bhàta a bha gu slaodach a' cur car dhi fhèin. Chuala e cuideigin a' tòiseachadh a' seinn 'Roll Out the Barrel' agus ann am beagan mhionaidean bha mòran eile anns a' chriutha ga sheinn cuideachd.

As we waited there we watched her turn keel up, and then the men started jumping off and making their way as best they could toward us.

Thòisich solais dhearga a' priobadh anns an dorchadas. Bha iad air am fuaigheal ri seacaidean-sàbhalaidh nan seòladairean. An siud agus an seo bha solais gheala a bha na bu làidire. Bha iad sin air na Carley Floats. Bha am muir gan glacadh mar sgàthan. Do chuid bha na dathan dearga agus geala mar sholais-shìthe na Nollaig a' deàlradh anns an dorchadas.

Bha rèilichean an *Northern Gem* àrd agus bha bogadaich a' chuain a' tilgeil nan Carley Floats. Bha lìn thiugha a' crochadh bho chliathaich an tràlair, ach cha robh de neart aig mòran airson an sreap. Gun smaoineachadh mun t-sàbhailteachd aca fhèin, chaidh cuid de chriutha an *Northern Gem* sìos am broinn nan Carley Floats agus chuidich iad na leòintich agus an fheadhainn a bha claoidhte na lìn a shreap. Chaidh cuid eile den chriutha sìos na lìn gus an robh iad anns an uisge agus cheangail iad iad

Lioftanant Horace Aisthorpe, HMT *Northern Gem*

fhèin le ròpan, agus an uair sin cheangail iad ròpan eile timcheall air na fir a thàrr às gus am biodh iad air an slaodadh suas dhan deic. Chrom cuid eile den chriutha tarsainn air na rèilichean agus thug iad cuideachadh dhan fheadhainn a bha gun lùths crìoch a chur air an troigh no dhà mu dheireadh.

Am measg an luchd-cuideachaidh bha Ailig MacLeòid à Bhatarnais san Eilean Sgitheanach agus a bha a' fuireach an-ath-dhoras ri Daibhidh MacDhòmhnaill a chaidh a mharbhadh tràth anns a' bhlàr anns an stèisean-ràdar. Bha fios aig Ailig gun robh Daibhidh air an *Achates* oir choinnich iad mus do dh'fhàg na bàtaichean aca Cluaidh. B' ann an uair sin a thuirt Daibhidh ri Ailig, 'Cha till mise an turas seo.'

Bha Ailig a' cuideachadh na leòintich agus a' cumail sùil airson a dheagh charaid agus a nàbaidh, gun fhios aige gun robh Daibhidh mu thràth marbh. Cha do dh'inns Ailig mun oidhche sin do dhuine sam bith fad a bheatha, ged a dh'fheuch mòran ri aithris fhaighinn bhuaithe, a bhràthair Uilleam nam measg.

Chùm criutha an *Northern Gem* a' dol gus an robh an duine mu dheireadh a b' urrainn a bhith air a shàbhaladh air bòrd. Bha muinntir an *Northern Gem* air am beatha fhèin a chur ann an cunnart airson cobhair a thoirt do sheòladairean an *Achates*. Agus, cho luath 's a bha neach ann an criutha an *Northern Gem* air a lathadh leis an fhuachd, ghabhadh cuideigin eile an t-àite aige aig rèile a' bhàta. B' ann air sgàth cho luath 's a bha muinntir an tràlair ag obair a chaidh uiread a shàbhaladh.

Uair: Mu 14:00

A rèir Kerslake, stiùireadair an *Northern Gem*, shleamhnaich na seòladairean sìos cliathaich an *Achates* nuair a chuir i car dhi fhèin agus thòisich iad a' dèanamh air an *Northern Gem*. Le mòr-iongnadh chuala Kerslake agus sgioba an tràlair na seòladairean a' seinn 'Roll Out the Barrel':

> Here they were in dire peril, not only from drowning, but freezing to death if we could not get them out of the water within a few minutes, singing at the tops of their voices. Those who had survived the action and the struggle to keep their ship the *Achates* afloat, were now fighting for their own lives, to save themselves in those cold and freezing waters of the stormy Arctic Ocean.

Rinn Kerslake an gnothach air aon duine a tharraing air bòrd. Chunnaic e neach eile, balach òg, a' drioftadh seachad air deireadh a' bhàta le làmh sìnte a-mach, a' coimhead airson ròp a thilgeadh cuideigin thuige. Thilg Kerslake fear agus thuit an ròpa tarsainn guailnean a' bhalaich. Ach, bha e air a lathadh agus cha robh e a' faireachdainn an ròpa. Sgreuch Kerslake ris grèim fhaighinn air an ròpa, ach cha b' urrainn dha a làmhan a ghluasad. Dh'fheuch Kerslake ri lùban a chur timcheall gàirdean a' bhalaich, ach cha deach leis. Anns na mòmaidean mu dheireadh chuala Kerslake e ag èigheach airson a mhàthar agus b' e '*A Mhàthair!*' na faclan

mu dheireadh a chuala Kerslake mus deach am balach fodha. Bha
Kerslake e fhèin a' caoineadh le tàmailt agus anfhannachd.

> Just at that precise moment, there was a terrific underwater
> explosion, and the *Northern Gem* was lifted bodily out of the
> water. The surface of the sea shivered for a few moments
> then burst into a boiling cauldron of confused froth. When
> it returned to its former state, there was no one left alive in
> the water, there were probably six or eight bodies floating past,
> still with their life-jackets on, on which glowed the red lights,
> but there was no sign of any life; they had either been killed
> by the explosion, or had succumbed to the frightful cold of the
> water. Our CO then thought it wise to go onto full speed to
> catch up with the convoy as the German surface vessels as far
> as he knew were still lurking in the area, and the *Gem* wasn't
> built to fight a ship to ship battle of that sort.[88]

Nuair a thuit a' chiad slige air an *Achates* mu 11:15, chaidh 40
den sgioba a mharbhadh, Daibhidh MacDhòmhnaill à Bhatarnais
nam measg. Nuair a chaidh an *Achates* fodha mu 1400, chaidh 70
den sgioba a mharbhadh, Coinneach MacÌomhair nam measg. Bha
30 air an droch leòn fon deic agus nach b' urrainn a bhith air an
gluasad. Chaidh iad sin sìos leis a' bhàta. Chaidh cuid eile a chall
air sgàth an fhuachd, an spreadhadh mu dheireadh, no an leòintean.
Le sin bha 110 den chriutha a-mach à 193 air an call. Shàbhail an
Northern Gem 83.

Chaidh an *Achates* fodha mu 14:00 air 31 an Dùbhlachd agus
i mu 240 mìle an iar-thuath air a' Gheodha Kola. Bha i air 2,410
de na 2,653 mìle (90%) den turas a bha i an dùil a sheòladh eadar
a' Ghuireag agus Murmansk a choileanadh.

Bha an *Northern Gem* a-nis a' gluasad aig làn-astar ann am muir
garbh. Chaidh Kerslake gu h-ìosal gus aodach tioram a chur air. An
uair sin chaidh e far an robh gach neach a chaidh a tharraing às an
uisge. Thug e deagh dhrama ruma dhaibh gus an tòisicheadh fuil

a' ruith tro na cuislean aca a-rithist. Bha dusan ann, a rèir a' chocsun, a bha feumach air dotair, ach cha robh dotair air bòrd. Nam measg bha Bartlett, Fo-lioftanant òg, nach do rinn gearan sam bith, ach a bha ann an cunnart a bheatha a chall le lotan taobh a-staigh a' chuirp.

Mhìnich Kerslake suidheachadh an fheadhainn a b' urrainn dhaibh fhèin a chuideachadh:

> Those survivors who were able helped themselves to towels, dried their bodies and rubbed their limbs briskly to bring back some life to them, then climbed into bunks, and were wrapped in warm blankets; I made certain that I missed no one with the rum jar. As the circulation gradually came back to the limbs of many of these men, some were screaming with pain, a pain which must have been excruciating. Our lads were doing their best to alleviate this by massage, followed by covering them with warm blankets or clothing brought up from the store of survivors' clothes. After some time the sounds of the men in pain gradually died away as they lapsed into various depths of sleep.

Bha suidheachadh nan leòinteach na dhragh. Cha robh ach aon duine am measg an sgioba aig an robh beagan eòlas meidigeach, Eric Mayer, seòladair a bha 40 bliadhna a dh'aois. Chleachd e a bhith ag obair ann am banca mus do thòisich an cogadh. Bha a bhean na banaltram agus bha caraid aige na dhotair. Bha beagan eòlais aige tro na daoine sin, ach cha b' urrainn dha ach lotan a ghlanadh agus a dhì-ghalarachadh.

Thàinig Kerslake tarsainn Peyton Jones nuair a bha e a' dol timcheall:

> He was sat in the forward mess-deck, very concerned about his crew, though he realised that we were doing our best. I apologised for the fact that he had been taken to the seamen's mess, and conducted him to the wardroom to join the other three surviving officers where he was greeted warmly by them

and our own officers who were present. They had all thought him to be lost with the ship, and the surprise and pleasure on their faces when I took him in was good to see after the happenings of the last few hours.

Bha Peyton Jones a' miannachadh gun tigeadh dotair air bòrd cho luath agus a b' urrainn. Bha sgiobair an *Northern Gem* den aon bheachd cuideachd. Cha b' urrainn dhan sgiobair, Horace Aisthorpe, ach tomhas a dhèanamh càit am biodh an conbhoidh. Chùm e a' dol aig làn-astar, an dòchas gun robh e air a' chùrsa cheart. Aig aon àm chunnaic iad HMS *Obedient* a' dol seachad air an deireadh aca. Ghabh iad an t-eagal an toiseach oir bha iad a' smaoineachadh gur e soitheach Gearmailteach a bha ann. Ged a bha a' ghaoth a' sgiamhail agus a' sgreuchail agus am bàta ag èirigh suas dha na nèamhan agus a' tuiteam sìos dha na doimhneachdan, rinn an sgiobair Aisthorpe an gnothach air siognail bho lampa Aldis a chur dhan *Obedient* anns a' ghailleann-shneachda. Fhuair e a-mach gun robh e air a' chùrsa cheart airson coinneachadh ris a' chonbhoidh.

Ann am beagan ùine, bha iad anns a' chonbhoidh a-rithist, agus chunnaic an *Northern Gem* HMS *Onslow* air an robh Caiptean Robert St Vincent Sherbrooke. Anns an leth-sholas bha e follaiseach gun robh an soitheach air a bhith ann an cruaidh-ghleac leis an nàmhaid. Air an fhocsail, bha seòladairean a' feuchainn ri 'collision mat' a chur tarsainn beul a' bhàta gus toll mòr a dhèanamh dìonach. (B' e canabhas air a shìneadh air freum de dh'fhiodh agus uèir a bha anns an 'collision mat'.) Chunnaic sgioba an *Northern Gem* cuideachd am milleadh a bha air a dhèanamh timcheall funail agus drochaid an *Onslow*.[89]

204

Lampa Aldis air a chòmhdachadh le deigh.   © Imperial War Museum

32

LATHA NA BLIADHN' ÙIRE, 1943

Dihaoine, 1 Faoilleach, 1943

Ghluais an *Northern Gem* gu cùl a' chonbhoidh airson na h-oidhche agus b' ann an sin a chuir i fàilte air a' Bhliadhn' Ùir 1943. Aig meadhan-latha fhuair i òrdugh a dhol suas ri taobh an *Obdurate* gus dotair a thoirt air bòrd. Bha cruaidh-fheum aig leòintich bhon an *Achates* air cobhair.

Bha a' mhuir cho gharbh agus an aimsir cho fiadhaich 's nach b' urrainn dhaibh bàta beag a' leigeil sìos. Thàinig Aisthorpe, an sgiobair, a-steach dhan taigh-chuibhle. Bha e fhèin airson an tràlair a thoirt suas dhan an *Obdurate*. Thuirt e:

Right Cox, I'll take her.

Dh'iarr Kerslake air a' chriutha feandairean fhaighinn airson a dhol làimh ris an *Obdurate*.

Gu slaodach, dhlùthaich an *Northern Gem* ri taobh clì a' mhilleadair. Bha an dà bhàta a' gluasad gu faiceallach anns an opairèisean chunnartach seo. Anns an leth-sholas ghlas chunnaic iad buidheann beag air an deic aig ceann-deiridh *Obdurate*, agus aon dhiubh le ròpa mu mheadhan. B' esan Maurice Hood. Bha e a' dol a chur a bheatha ann an cunnart gus cobhair a thoirt do leòintich an *Achates*. Air an *Northern Gem* bha buidheann beag de dh'oifigearan agus criutha a' feitheamh gus Hood a ghlacadh nuair a leumadh e.

Nuair a bha sìochadh anns an aimsir, chuir Aisthorpe toiseach an tràlair bhig na b' fhaisge air cliathaich a' mhilleadair mhòir. Agus, nuair a bha dìreach troigh no dhà eadar an dà shoitheach, chuir an sgiobair a' chuibhle gu clì agus ghluais an *Northern Gem* gu deas-bhòrd, faisg gu leòr airson cothrom a thoirt do Maurice Hood leum. Bhuail an dà bhàta na chèile airson tiotan. Nuair a rinn iad seo, leum an dotair seachd no ochd troighean sìos gu deic an tràlair. B' e leum laoich a bha ann. Bha dotair air bòrd mu dheireadh thall.

Chaidh an lannsair gu h-ìosal leis a' bhaga aige agus thòisich e air an obair a bha cho riatanach – obair a chaidh a dhèanamh ann an suidheachadh a bha dheth fhèin gu math cunnartach. Seo mar a mhìnich Peyton Jones an gnothach:

There were some horrific wounds and several operations were needed to repair the damaged bones and flesh. At his request, I administered the anaesthetic, slowly dripping chloroform on to a face mask or emptying a syringe into a vein as he directed, whilst Mayer handed him his instruments. On the wildly gyrating deck, all three of us had to be anchored round the waist by two men each, so that we could have both hands free. Someone held a specially bright torch to illuminate the work, whilst two more held the patient stretched out on one of the wooden mess tables. Never, I think, can surgery have been conducted under more diffcult conditions, and I marvelled at the Doctor's cool competence and skill. I marvelled, too, at the courage of these badly wounded men whose stoic determination alone had enabled them to survive.

I think there were some twelve cases in all and we worked thus all day. Everyone, the doctor thought, would recover except for poor Freddie Barrett, for whom he could hold out little hope and who died uncomplainingly that night.[90]

33

FAOCHADH GU ÌRE

Disathairne, 2 Faoilleach, 1943

An ath mhadainn, fhuair an *Northern Gem* cead stad agus tiodhlacadh a thoirt dhan Fho-lioftanant òg, Fred Barrett. Chruinnich a h-uile neach bhon *Achates* nach robh leònte air an deic còmhla ri gach ball de sgioba an *Northern Gem* a bha saor. Thug Aisthorpe leabhar-ùrnaigh an t-soithich do Pheyton Jones. Bha e follaiseach gun robh an leabhar air a bhith air a dheagh chleachdadh. Leugh Peyton Jones na faclan sòlamaichte:

> We therefore commit his body to the deep, to be turned into corruption, looking for the resurrection of the body, (when the Sea shall give up her dead,) and the life of the world to come, through our Lord Jesus Christ; who at his coming shall change our vile body, that it may be like his glorious body, according to the mighty working, whereby he is able to subdue all things to himself.

Thug brìgh nam faclan tiodhlacaidh buaidh air gach duine a bha an làthair is iad a' cuimhneachadh an 109 eile a bha air an call bhon an *Achates*. Bha gach duine air an cuimhneachadh mar charaid agus mar sheòd.

Anns a' chamhanaich, fhuair an *Northern Gem* sealladh air tìr agus aig 10:15 dh'atharraich an conbhoidh a chùrsa a-rithist. Bha e a-nis a' seòladh dhan iar-thuath aig 310° agus a' teannadh air port.[91] Aig 13:00 sgar an colbh den chonbhoidh a bha a' dol gu Archangel air falbh bhon dà cholbh eile agus chùm na bàtaichean-marsantachd sin orra sìos an costa. Aig 17:40 chaidh Eilean Kildin fhaicinn air an rathad a-steach dhan Gheodha Kola agus chaidh an *Obedient* agus *Rhododendron* gu taobh deas a' chonbhoidh airson coinneachadh ris an t-soitheach paidhleit.

Aig 23:00 dh'atharraich Conbhoidh JW51B a chùrsa a-rithist gu 226° is sheòl e sìos dhan Gheodha Kola. Bha a' ghaoth air tuiteam gu neart 2.

Geodha Kola agus Murmansk

Latha na Sàbaid, 3 Faoilleach, 1943

Eadar 05:00 agus 09:00 bha gach bàta-marsantachd, ach trì, air an ceangal ris a' chidhe ann am Murmansk. Bha *Calobre, Vermont,* agus *Pontfield* a dhìth. Lorg HMS *Obedient* an *Vermont* air acair ann an Caolas Kildin, agus beagan an dèidh sin fhuar i lorg air a' *Chalobre* a bha air an t-slighe a-steach gu Murmansk agus *Vizalma* na cuideachd. Bha seo a' ciallachadh gun do ràinig gach aon de na 14 soithichean-marsantachd ann an conbhoidh JW51B an Geodha Kola gu sàbhailte ged a chaidh am *Pontfield* air tìr anns a' Gheodha Kola.

Cheangail an *Northern Gem* suas aig Cidhe Vaenga ri taobh an *Onslow* a chaidh air thoiseach air a' chonbhoidh gus am faigheadh an cuid leòintich cobhair. A-nis, b' iad na leòintich bhon *Achates* a chaidh a chur air tìr gus cobhair fhaighinn anns an ospadal an sin. Cha robh ìrean cùraim anns an ospadal ro mhath. B' e togalach a bha air atharrachadh gus na leòintich a chuideachadh a bha ann. Le sin, cha robh uidheamachd no teas no solas ann mar bu chòir. Gu fòrtanach, bha dithis lannsair às a' Chabhlach Rìoghail ann a rinn na b' urrainn dhaibh. Thàinig Maurice Hood air tìr gan cuideachadh, esan a rinn uiread airson muinntir an *Achates*. Chuidich e an obair ann an Vaenga gu mòr.

Thadhail Peyton Jones air criutha an *Achates* a bha san ospadal agus cuideachd air Caiptean Sherbrooke a bha air a dhroch leòn mun aodann agus a chaill a shùil. Beagan lathaichean an dèidh seo thàinig fios gun robh Sherbrooke air Crois Bhictòria a chosnadh. Cha robh teagamh aig duine sam bith nach robh e airidh air a' bhonn, air sgàth 's na rinn e leis an fheachd bheag aige an aghaidh nàmhaid a bha fada na bu làidire. Sgrìobh Admaral Tovey, Ceannard a' Chabhlaich Rìoghail an dèidh làimh:

That an enemy force of one pocket battleship, one heavy cruiser and six destroyers, with all the advantages of surprise and concentration, should be held off for four hours by five detroyers and driven from the area by two 6-inch gun cruisers, is most creditable and satisfactory.

Fhreagair Caiptean Sherbrooke an siognail aig Tovey:

Your signal is much appreciated. This Award is a tribute to the force in general and I hope will be taken by the next of kin of those who lost their lives, as some measure of their country's appreciation.

Cha robh faochadh sam bith on chogadh anns a' Gheodha Kola ge-tà. An oidhche sin fhèin, leag na Gearmailtich bomaichean losgach air Vaenga agus port Murmansk a bha na b' fhaide shuas an Geodha. Ged a thòisich teine no dhà air tìr, cha robh gin de na soithichean air am milleadh gu dona. B' iad na h-ionnsaighean-adhair air port Murmansk tron latha a chuir moille air dì-luchdachadh nan soithichean.

34

AIR AIS GU SÀBHAILTE

Diluain, 11 Faoilleach, 1943

Chaidh an co-dhùnadh a dhèanamh a thaobh nan leòinteach gum bu chòir dhan fheadhainn a bha air an goirteachadh gu dona a dhol air ais dhachaigh air an *Obedient*, nam measg bha Caiptean Sherbrooke agus a' chuid bu mhotha den fheadhainn a thàinig beò às an *Achates*.

Air 11 Faoilleach sheòl an *Obedient*, às aonais a' chonbhoidh, agus ràinig i Scapa Flo gu sàbhailte taobh a-staigh còig latha. Thàinig am First Lord of the Admiralty, A.V. Alexander, air bòrd, còmhla ri Admaral Tovey. Thug iad an taic do Pheyton Jones. Chaidh na leòintich a chur air long-ospadail. Chùm Peyton Jones agus an fheadhainn eile orra gu Lìte. An dèidh sin chaidh Peyton Jones air ais a Ghuireig, far an d' fhuair e fios gun robh aige ri dhol a Liverpool airson coinneachadh ri Commander-in-Chief, Western Approaches, Admaral Sir Max Horton.

Ann an Liverpool, sheall an Admaral dha siognail a bha e air fhaighinn bho Commander-in-Chief, Home Fleet, Admaral Tovey. Chaidh seo a sgaoileadh do gach seòladair leòinte agus do dhlùth-chàirdean an fheadhainn a bha air an call:

A study of the reports now received on the recent action in the Barent Sea makes it clear that the *Achates* played a most valiant part and that the smokescreen she made to cover the convoy and which she continued to make almost up to the time of sinking in spite of having received heavy damage, contributed greatly to the safety of the convoy until our reinforcements arrived. We in the Home Fleet deeply regret the loss of a fine ship and so many gallant officers and men.

Bha Sir Max Horton, cuideachd, airson gum faiceadh Peyton Jones siognail a fhuair Rear-Admiral Robert Burnett bho Vice-Admiral Golovko, Commander-in-Chief, North Russian Fleet:

The following message which has just been received from Vice-Admiral Golovko, Commander-in-Chief, North Russian Fleet, is forwarded. The loss of *Achates* when serving with the Home Fleet Destroyers was deeply regretted and her gallant action was an inspiration to all who were in company with her:

I congratulate you upon your victory over the enemy. You withstood a battle against superior forces, and, in spite of the latter's counter action, brought the convoy in its entirety into our waters.

I sincerely regret the loss of the destroyer *Achates* and of its valiant company.

Bha Admaral Burnett, a bha anns an *Sheffield*, air a bhith os cionn *Force R* anns a' bhlàr ann am Muir Bharents. Bha e follaiseach gun robh Burnett den bheachd gun robh pàirt mhòr aig an *Achates* anns a' bhlàr sin.

An dèidh seo, thadhail Peyton Jones air càirdean gach oifigear a chaidh a mharbhadh anns a' bhlàr. Cuideachd, sgrìobh e gu teaghlach gach seòladair a chaidh a chall. Nam measg bha na teaghlaichean aig Daibhidh MacDhòmhnaill agus Coinneach MacÌomhair. Tha na litirichean a sgrìobh e thucasan gu h-ìosal.

20th February 1943.

c/o The Adm...
Whitehall
London

Dear Mrs Mac Donald,

I am writing on beh...
of the surviving officers and men of H.M.S
Achates to tender you our heartfelt sympa...
on the loss of your son and our
shipmate, Able Seaman David Mac Donald,
who so gallantly gave his life in action
against the enemy on 31st December 1942.

He had, as you know, been with
us since the beginning of the commission,
and had become one of the most popul...
and dependable members of the ship's comp...
It was therefore with very deep regret th...
we found him to be amongst those miss...
Throughout the action he played

his post manfully and well and remained
at his post to the end. You may well
feel very proud of him.

It ever in the future I can be
of any assistance to you, please do not
hesitate to let me know. I shall be
only too glad to do anything I can.

Yours very sincerely,

L. E. Payton Jones.

Lieutenant R.N.

18th February 1943

℅ The Admiralty
Whitehall
London

Dear Mrs MacIver,

I am writing on behalf of the surviving officers and men of H.M.S. Achates to tender you our heartfelt sympathy on the loss of your husband and our shipmate, Able Seaman Kenneth MacIver who so gallantly gave his life in action against the enemy on 31st December 1942.

He had, as you know, been with us since the beginning of the commission and had become an indispensible member of the ship's company. It was therefore with very deep regr that we found him to be amongst those missing.

Throughout the action he worked unceasingly, entirely regardless of his own safety, and I cannot speak too highly of the fine example of courageous devotion to duty which he set his shipmates. — He was indeed a man among men and you may well feel most proud of him.

If ever in the future I can be of any assistance to you please do not hesitate to let me know. I shall be only too glad to do anything I can.

Yours very sincerely,

L. E. Peyton Jones.

Lieutenant R.N.

35

CO-DHÙNADH

Bha dòigh-obrach nan Gearmailteach na iongnadh do mhòran, gu h-araidh do Chomanndair Kinloch. Thuirt e:

> The inactivity of the German destroyers is inexplicable. They made no attack on the convoy and in two engagements were following astern of their cruiser without taking any part.[92]

Tha cuid den bheachd gun robh deagh fhortan no Freastal fàbharach ann do JW51B. Thachair gun robh sguaile sneachda ann mu 10:45, agus dh'fhalaich seo an conbhoidh dìreach nuair a bha an *Lützow* agus a feachd am beachd ionnsaigh a thòiseachadh. Cha do thuig Caiptean Stange cho faisg 's a bha e air buannachadh.

Bha na chuimhnich Midshipman Albert Twiddy (18 bliadhna a dh'aois aig an àm, agus a bhiodh a-rithist air àrdachadh gu Lioftanant Comanndair) a' riochdachadh nan smaointinn aig mòran. Bha esan air HMS *Sheffield* agus chunnaic e am bàta Gearmailteach *Friedrich Eckholdt* agus an criutha a' dol gu grunnd na mara – ìomhaigh a lean ris gu deireadh a latha. Bha e làn chreidsinn gur e Dia fhèin a ghlèidh am bàta aige, na caraidean aige, agus a bheatha fhèin.[93]

Bha e follaiseach cuideachd gun robh Caiptean Sherbrooke agus Comanndair Kinloch den bheachd gun robh e na dhleastanas orra an conbhoidh a dhìon ge be air bith dè thachradh. Bha fios aig Sherbrooke cuideachd gun robh eagal air na Gearmailtich bho ionnsaighean-torpedo. Le sin, cha do leig e leis na milleadairean-dìon a bhith air an tàladh air falbh bhon chonbhoidh. A dh'aindeoin feachd làidir nan Gearmailteach, dh'iomain feachd beag a' Chabhlaich Rìoghail air falbh iad gach turas, agus an uair sin thill iad air ais gus an conbhoidh a dhìon.

Thill Comodoir Mellhuish a Loch Iùbh air 29 Faoilleach air SS *Daldroch*. Bha carago aige de chotan agus fiodh. Bha 11 bàtaichean-marsantachd anns a' chonbhoidh RA52 a thill a Bhreatainn, agus bha 21 longan on Chabhlach Rìoghail gan dìon. (Carson nach do thill e anns an *Empire Archer*? – tha feadhainn den bheachd gun deach seòmar an einnsein a mhilleadh uimhir leis na prìosanaich à Barlinnie a bha air an daorach 's gum feumadh i a càradh mus tilleadh i air an turas dhachaigh.) Ràinig Mellhuish agus RA52 Loch Iùbh air 9 Gearran, 1943 le dìreach aon bhàta, SS *Greylock*, air a chall le ionnsaigh bho bhàta-U.[94]

Eadar Lùnastal 1941 agus Cèitean 1945, sheòl mu 78 conbhoidhean dhan Artaig, anns an robh mu 1,400 bàta-marsantachd a lìbhrig barrachd air 4 millean tunna de bhathar-cogaidh. Chaidh 85 bàtaichean-marsantachd a chur fodha agus 16 longan-cogaidh às a' Chabhlach Rìoghail. Chaill barrachd air 3,000 seòladair agus neach-seirbhis am beatha anns na conbhoidhean dhan Ruis.

Air taobh nan Gearmailteach, chaill iad còig longan-cogaidh, 31 bàtaichean-U, agus àireamh de phlèanaichean air nach eil cunntas. Chan eil fios le cinnt cia mheud Gearmailteach a chaill a bheatha.

Chaill na Ruiseanaich co-dhiù 29 soitheach-marsantachd anns na conbhoidhean agus cuideachd grunn math longan-cogaidh, phlèanaichean, agus leòintich.

Ged a bha call na bu mhotha ann am Blàr na h-Atlantaig agus anns a' Chiad Chogadh a thaobh àireamhan, bha barrachd teansa gum biodh seòladair agus a bhàta air an call air an turas dhan Ruis na bhiodh air turas sam bith eile anns an Dàrna Cogadh.

Fàgaidh sinn am facal mu dheireadh aig Admiral of the Fleet Lord Tovey, G.C.B., K.B.E., D.S.O. Commander-in-Chief, Home Fleet 1940-1943.

The Battle of the Barents Sea was one of the finest examples in either of the two World Wars of how to handle destroyers and cruisers in action with heavier forces. Captain Sherbrooke saved his convoy by going straight in to attack his far heavier enemy, using his guns to do what damage they could but relying on his torpedoes, the real menace to the heavy ships, to deter them from closing the convoy.

Sherbrooke knew the threat was lost once his torpedoes were fired. When in position for firing he turned his ships to simulate an attack – the mere threat was sufficient to persuade the enemy to break off their attack...[95]

As Sherbrooke went in to attack, the Commodore turned his convoy away and it was quickly covered by smoke from the *Achates*. Throughout the action the Commodore handled his convoy with great skill...

Smoke-laying may not appear a very exciting way of fighting but I know few things more unpleasant than being fired at when you cannot shoot back. Apart from preventing the enemy getting a sight of the convoy, there is always the chance of a torpedo attack developing out of the smoke. The sinking of the smoke-layer is essential if the enemy is to get a chance of damaging the convoy and the *Achates* was constantly coming under fire, but she stuck to her job right up to the time she sank – truly a noble little ship and company.[96]

Pàipearan-taic

Pàipear-taic 1
Loftus Peyton Jones aig sgoil a' Chabhlaich Rìoghail agus ann an 1943

Peyton Jones aig sgoil
a' Chabhlaich Rìoghail, Dartmouth

Buidheann fead, Dartmou

Biadh-lann, Dartmouth

Air a thogail Gearran 1943 an
dèidh *Achates* a dhol fodha

Pàipear-taic 2

Ceistean agus Freagairtean eadar Dudley Pope, ùghdar '73 North',
agus Loftus Peyton Jones (bho chruinneachadh teaghlach Peyton Jones)

. For approximately how long had Achates been making smoke before
.e Hipper opened fire ? The RoP Close Escort says that at 0941 the
.emy opened fire at Achates "which by this time was very conspicuous
.e to the smoke screen". Your report is not quite clear what time
.u started making smoke.

.Which salvo straddled,and which caused the near miss ~~~~~~~ on the
.rt side which holed the forward shell room,magazine and stoke.s'
.ssdeck,and caused splinters among the port Oerlikon and bridge
.rsonnel ?

.Which of the bridge personnel were wounded or killed by this ?

.This damage was at about 0945 and at 1110 Achates was ordered to
.rolong the line to port". David Kinloch was told of the damage and
.dered Achates to the head of the convoy. The following question is
.t being wise after the event,but I would like to put in the answer
. stop the question being asked by readers : had any attempt been
.de to tell the SO before this that Achates had been damaged ?

.Going back to before the action : while Obdurate was investigating
.e destroyers, a tanker near the rear of the convoy was in some sort
.' trouble,probably steering gear,and was burning rather bright
.ot under control' lights. This was engaging Onslow's attention when
.e gun flashes were seen from the destroyers firing at Obdurate. Can
.u remember anything about the tanker ?

.Where were you when action stations was sounded ? What was you job
.rmally ? What was your action station - where,rather ?

.When Hipper first opened fire,did Achates take avoiding action or
.s there not time before the first near-miss ?

.What was your job - or what did you do,rather - around the time
. the near miss ? I assume you were involved with damage control.

.Can you outline the role of various other officers during this time ?
.ith names) Same for any outstanding ratings. I have the recommendations
.r awards for Lt Wright,Surg Lt Macfarlane, Davies,the Acting Gunner T,
.d various others,including A/B McIver, who helped get men from
.ooded compartments and later took the wheel for an hour,steering
.ly by a boat's compass; P.O.Teleg. Bartrip,who among other things
.de sure all the CBs were locked in the safe and reported this
.resumably to you)while in the water; Steward Allan Jones,who
.ayed with the wounded on board when the ship sank ; Stoker
.lley,who led community singing while in the water waiting to be
.cked up; CPO Hall, at wheel when the ship was hit on the bridge,
.d the only survivor in the wheelhouse ; the Yeoman,Taylor, one of the
.w survivors from the bridge hit,who sent for you and who continued
.ssing signals etc,including the one interrupted by the ship capsizing.
.I have listed these as the more outstanding men : can you add
.ything to the brief description of what they did ? Particularly
.ylor on handing over to you.

10. The hit on the bridge : where were you at this time,and what doing
Who came and told you what had happened ? What did the bridge look
like when you arrived ? The ship was circling under 20 degrees of whee
and doing 28 knots.? (I mention points like this in case they help you
remem

11. Can you remember the actual sequence of your actions from the time
of coming on to the bridge ? Only the wheel and engine room telegraph
had escaped being wrecked.Your report says speed was reduced to 12
knots and smoke was ordered to be made,and Obedient's last order,for
obvious reasons,was disregarded.

12. There were subsequent hits,but you continued making smoke,and usin
a boat's compass.This sounds a silly question,but has some relevance :
do you remember which boat it came from,and could it be secured for
the quartermaster it or was it held by hand ?

13. When Sheffield's signal arrived 'Report situation',did you assume
it meant the situation in Achates or# for the whole convoy ? I see
you say your signal reporting your own damage was cancelled before it
was sent.

14. In your report there is a discrepancy in times,and I wonder if you
can clear it up. A signal was sent to Northern Gem at 1300 'Not under
control.Please stand by me' after the ship stopped and preparations
were made for the ship to be taken in tow from aft.The lift continued
however until the upper deck was awash.A signal was then started to
Northern Gem asking her to take you in tow,but was broken off as the
ship rolled over. Then the report adds that Achates sunk at about 1300
        I want to establish the time sequence from the 'Not under contr
signal.I wonder if you can outline what happened,with rough times ?
        I get the impression that to begin with,after the first signal,
she was not listing very fast; but that from the time the signal was
started to Northern Gem asking her to take you in tow,the final roll
which put her on her beam ends,I imagine,must have been less than a
couple of minutes.

15. Can you describe these last few moments in some detail ? Just
how fast she went over,how the men got away from the ship,how quickly
she sank,and how you yourself got away ?

16.In the water : can you describe this - how Northern Gem manoeuvred,
how men were got aboard - I see from the awards that some of the N.Gem
men went over the side themselves - the effect of the cold,incidents
like Colley leading community singing,whether the swell was dispersing
the groups of men,what percentage managed to get on to rafts etc.
    I have been unable to get in touch with Aisthorpe - the only CO
I've failed to find. So if you can describe events on Northern Gem
after you got on board, it would be a great help.

17. The depth charges whose primers had frozen up went off 35 minutes
after the ship sank. Do you suppose it took that time for them to
thaw or was there any other possible reason ?

18. The awards mention Aisthorpe personally taking the wheel to bring

Northern Gem alongside Obdurate next day to get the doctor aboard. A
moderate gale was blowing,so this was obviously no mean feat.Can
you describe ?

19. Personal details about yourself, which,knowing you slightly,I know
you'll hate giving ; But they are basic ones - were you a sub or
lieutenant at the time ? How old were you ? How long had Johns been
commanding Achates ? How long had you been in her ?

H.M.S. "ACHATES".

H.M.S. "ACHATES" recommissioned after a long refit at Swan Hunter's Yard on the Tyne in April, 1942. There she had been provided with a new bow, the original one having been virtually blown off by a mine when operating in Icelandic waters the previous year.

After the customary work up – brief but strenuous – she was assigned to the Clyde Special Escort Force, a force which had been formed as a small reserve of ships which could be used to reinforce the escort groups employed on the regular convoy cycles as occasion demanded.

And so it was from the friendly shores of Gourock that she was to operate for the final busy months of her career.

Her first real job was as part of the escort to P.Q. 16, the midsummer convoy to N. Russia which, under conditions of continuous daylight, suffered heavy and seemingly endless air attack throughout the last week of a brilliant May. Thus early in the new commission were the guns and their crews well tried.

A spell at Murmansk, an uneventful return convoy, a short period of boiler cleaning leave and "ACHATES" was off again to fulfil a similar function for P.Q. 18. This convoy, sailed in September, again suffered heavy air attack, though this time mainly from torpedo bombers. Together with U Boats they accounted for over a dozen ships. Most memorable from "ACHATES" point of view were the many abortive U Boat hunts in the very difficult Arctic conditions which prevail in those waters, and the fact that we opened our score against the Luftwaffe. Our destination this time was Archangel – remembered now only for its wooden construction and the number of nights on which we had to land parties of seamen to fight fires caused by incendiary bombs.

Then a rush back to the Clyde at a pleasant eighteen knots the whole way, a few days storing and on to Gib. to find the largest assembly of escorts we had ever seen. A week there of conferences and preparations and out to escort the great convoy of ships appearing magically from the Atlantic wastes and bound for the beaches of North Africa. Our role during a period of ten days or so involved only some desultory bombardment and a lot of patrolling off shore. When screening some heavy units on the passage back to Gib. we did, however, gain contact with a submarine and after several attacks were credited with having sunk her. Certainly there was much wreckage to be seen though I think she was probably of Vichy French origin.

Not so successful were our efforts on the homeward voyage when in a rising gale in the Bay of Biscay the empty troopship "WARWICK CASTLE" was torpedoed and sunk. It gave us, though, our first taste of the pitiful task of picking up survivors, the difficulties of getting

weakened/...

weakened frightened men on to our slippery steel decks,
in resuscitating the apparently drowned, of burying the
dead and accommodating the living in our already over-
crowded mess decks.   However, all was in the end
accomplished and the end of November found us once more
alongside at Gourock snatching a few days leave wherever
our fancies lay.

            Our Captain had changed after our
return from our first trip to N. Russia, A.A. Tait having
been replaced on his promotion to Commander by A.H.T. Johns.
A destroyer officer of the old school, he had started
us off in a tough unrelenting manner which made us learn
fast and think first and last of the efficiency of the
ship.   He was later to be lost in the Atlantic in H.M.S.
"HARVESTER".   More recently the Gunner (T) had been
replaced and we had gained an extra Sub Lieutenant
Davidson.   For this last trip we had a technical radar
officer on board whose name I have forgotten.   But
otherwise we were the same Wardroom that had recommissioned
the ship in April.

            There was Eric Marland, brilliant graduate
of Magdalen College, Oxford, and now as a Lieutenant
R.N.V.R. with a D.S.C. and bar (the last awarded for the
sinking of our submarine in the Mediterranean) our No. 2.
Unperturbable, brave as only those with true faith can be,
completely competent and endowed with a modist assurance
and quiet cheerfulness that commanded the respect and
affection of us all.

            There was Kenneth Highfield our Sub Lieut-
enant R.N.R., and inevitably, our Navigator, hardly
finished his apprenticeship with, I think, the P. & O.
but full of real enthusiasm for his job.   There was
Fred Barret, a cheerful young citizen of North London
with no knowledge of the sea but a determination to do
his damndest at any job entrusted to him.

            And, of course, there was the Chief and
the Doctor.   The former, Peter Wright, another R.N.R.
Officer with more experience of hard seafaring than most
of us and a delightful twinkle in his eye as he led us
up the garden path.   The latter, James MacFarlane, doubt-
less an excellent doctor but more remembered by us as a
cheerful willing messmate prepared to turn his hand to
any of the hundred and one odd jobs that must be under-
taken by some member of a destroyer Wardroom.

            Of these only the Chief, the Radar Officer
and the new Gunner (T) Mr. Smith?, were married though
the Doctor had announced his engagement only a few
months before.

            Of the Ships company I think the Coxswain
was the only senior rating to have changed and very
lucky we were to have A/C.P.O. Hall.

                                              So/...

So it was with a reasonably experienced ship's company that "ACHATES" set off for Seydisfiord in mid December from there to escort the Transatlantic ships which were to form part of Convoy J.W. 51B.

J.W. 51B.

With orders to sail from Seydisfiord on 24th December the burning question was whether or not to have our traditional Christmas dinner before we left or wait till our arrival the other end.   No compromise could be allowed to spoil our enjoyment of those excellent turkeys we had embarked at Gourock.   In the event it was decided to defer our gastronomic celebrations until arrival at Murmansk - a decision from which the moral is obvious.

The first six days of our passage passed much like any others of those spent on escorting convoys to North Russia, save only that the wind was more boisterous, the darkness more enveloping and the cold, perhaps, more severe.   After an early gale we spent much time chipping away the ice which clung to the superstructure, decks and guard rails and by increasing topweight made our rolling even more pronounced than it need have been.

But if we spent longer battling with the elements we were certainly less molested by the enemy and, apart from stragglers, had lost no ships from the convoy.

ACTION OF 31st DECEMBER.

Now to answer your specific questions.

1.   I would say we started making smoke at about 0930, i.e. some ten minutes before HIPPER opened fire. This would be ten minutes after going to action stations which again I think is about right.

2.   This is difficult for me to answer with any certainty but my impression was that the second and/or third salvo straddled and that the fourth or fifth salvos caused the near miss and first casualties on the port side.

3.   Two of the port oerlikon guns crew - just below the bridge - were wounded, one severely so.   One of the lookouts and, I think, a signalman were casualties on the bridge.   There were also about half a dozen casualties between decks-among the forward supply and fire and repair parties.

4.   I cannot say for certain but I do not think so, the reason probably being that it was only as time pro-gressed that the results of the damage i.e. the flooding of the lower messdecks, became apparent.   "ACHATES" had continued to fulfil her allotted task and it was, presumably, only when she was called upon to undertake a new one that it became imperative to inform the S.O. Escort of the damage sustained.

5/...

5.   Regret No, although I heard mention of this incident later.

6.   I was just completing my tour of inspection of the Upper Deck, part of ship work having started at 0900, when I myself observed gun flashes astern.   By the time I arrived on the Bridge, the Captain was already there and "Action Stations" were being piped.   My own "Action Station" - nominally O.O.G. aft to be at the other end of the ship from the Captain - resolved itself on this occasion into a continued tour of all quarters, locating and inspecting damage, co-ordinating damage control measures, replacing casualties and generally seeing that all hands were best employed, keeping the Bridge informed, etc.

7.   Again I cannot say for certain, not having been on the Bridge at that moment but I would have thought so although there would not have been much time for any evasive action taken to have much effect.

8.   See answer to 6 above.

9.   I have enlarged on the activities of some of those you mention in answering other questions.   For the remainder, I fear, the recommendation for awards will have to suffice, since any further comment by me at this stage would probably be inaccurate.

            As you will realise the selection of those you quote for awards was only made after hearing accounts of their conduct from other survivors and I did not necessarily observe all their actions personally.

10.   In the T.S., having heard, whilst engaged with the For'd D.C. Parties, that the enemy was again in sight.

            That the ship had been hit was unmistakable; the noise of the explosion and the shock to the ship was appreciable even in the T.S.   A quick check for'd and aft at the level of the upper deck - the deck on which the T.S. was situated - revealed nothing new so I started up to the Bridge.   At the foot of the first ladder I was met by a white faced youngster sent by the Yeoman to fetch me. Arrival in the wheelhouse it became obvious that the hit had been on the Bridge.   The deckhead was bulging downward and a somewhat dazed Coxswain was ruefully regarding the wreckage around him.

            The usual way up to the Bridge was barred, so stepping out on to the port Oerlikon gun platform I clambered up the remains of the outside ladder.   The familiar scene was unrecognisable - just a blackened shambles of twisted metal with the remains of a few identifiable objects sticking grotesquely out of the wreckage.   Among this fantastic jumble of what had been the Compass Platform lay the mercifully unidentifiable remains of those whose station had been on this fore part of the Bridge.   Captain, No. 2 and Navigator, Signalmen, A/S Operators and maybe others.   Over all hung the stench of acrid fumes and burnt flesh.

            Further aft the damage was less severe although still effectively flattened as if by some giant hammer smashing down from above. There were bodies lying and not

all/...

all of them dead.   I leant over Fred Barrett who had been
directing the gun armament, but he was too badly wounded to
tell me anything.   And then I saw the Yeoman who by some
miracle had survived where all others had been struck down.
He was leaning against the jagged after screen, dazed but
apparently unhurt as he straightened up and smiled on seeing
me.   Slowly - maddeningly so to start with but becoming
more coherent as his full senses returned - he told me of
the state of the battle as he knew it.

11.   There was much to be done.   First to
establish communication with the wheelhouse below - through
a hole in the deck - and to hear the reassuring voice of
the Coxswain answering in response to my order, that the
wheel was now amidships.   Then to start an erratic zig
zag whilst endeavouring to get word to the guns (B and Y
mountings) of the bearing of the enemy, for we were still
under fire though apart from his gun flashes it was difficult
to see our opponent.

                B Gun crew had, however, largely been put
out of action by the shell exploding on the front of the
bridge and though replacements were conscripted by Sub Lt.
Davidson - whose cheerful face appeared from nowhere - the
mounting was found to be jammed in training.   And Y Gun
apparently never received the order leaving one to conclude
that the messenger was killed on his way aft.

                Meanwhile the ominous glow on B Gun Deck -
a cordite fire apparently started by the explosion on the
bridge and had, I was relieved to note, been extinguished.
As much, I learnt later, by the spray as by the efforts of
the relief crew but anyway it was one anxiety out of the
way.

                It was not long - perhaps five minutes or
even less - before the firing ceased and the enemy was lost
to view.   Speed was at once reduced to relieve the strain
on the damaged hull and to give us time to sort ourselves
out.

                Of the tactical situation I knew only what
little I had gleaned from my occasional visits to the
Bridge to report the progress of affairs between decks,
and the present situation was certainly somewhat obscure.
Certainly the convoy was still there with its close
corvette and trawler escort, but the present movements and
future intentions of the remaining destroyers were as
unknown as the composition and likely action of the enemy.

                From the Yeoman's report of the exchange
of signals with "OBEDIENT" it was apparent that she had
now taken over as Senior Officer in place of the presum-
ably damaged "ONSLOW" who had been sent to the disengaged
side of the enemy.   It was equally apparent that we
were in no state to take anyone under our orders and until
we had our own situation under control it seemed best to
stay where we were and make the only effective contribution
to the defence of the convoy of which we were capable -
namely laying smoke.   Orders were accordingly passed by
word of mouth to the Engine Room to recommence making smoke
and as the black clouds started rolling out of the funnel
the ship was conned on a broad weave across the stern of
the convoy.

                                        Steering/...

Steering became difficult with the increasing
list to port and a trim by the head and our progress would
have been even more erratic without the aid of a boat's
compass.   This was fetched from one of the sea boats,
on whose orders - mine or the coxswains - I can not now
remember, and wedged in the wrecked fore bulkhead of the
wheelhouse.   The bearings it portrayed were obviously
inaccurate but it was adequate for the purpose.

It was about this time that Chief's head appeared
over the side of the Bridge to report the situation below.
It was not rosy.   Further damage had been sustained
during those last minutes the ship was under fire, which
had resulted in the flooding of No. 2 Boiler Room and of
a further section of lower deck compartments.   There had
also been more casualties including, it appeared, the
Doctor, for he could nowhere be found.

12.   See answer to No. 11 above.

13.   As reported verbally from the W/T Office at the
time I took this signal from "SHEFFIELD" to have been
addressed to "ACHATES".   In retrospect I imagine it must
have been addressed to the S.O. Escort.   My reply was,
I am virtually certain, sent by light to "NORTHERN GEM" but
cancelled before she had time to transmit it in view of the
rapidly worsening situation.

14.   The time of sinking should, I think, read 1330,
though naturally all times are pretty approximate,
certainly there was an appreciable interval between the
time of being forced to stop and the time the ship sank -
I would say about half an hour.

"NORTHERN GEM" did not immediately respond to
our first signal asking her to standby and it was only when
we were seen to be capsizing that she cracked on speed and
arrived literally in the nick of time.   Her skipper later
explained that the first message was so badly transmitted
(by light) - as well it might have been under the circum-
stances - that he half suspected it to have been made by
the enemy as some sort of ruse de guerre.   He, therefore,
approached somewhat circumspectly.

As far as we were concerned there would have
been no survivors if that message - made by the Yeoman on
a box lamp salvaged from the flag deck - had not been
received and acted upon.

15.   Time on the Bridge between about 1200 and 1300
passed slowly.   The Chief and Sub. Lt. Davidson looked
up occasionally to make brief reports of progress, the
former on the losing battle to control the flooding in the
ship and the latter on the measures being taken to collect
and care for the casualties of which by now there were a
considerable number.

Shells bursting on impact with the water just
short of the ship had riddled the port side with holes and
wounded many men.   There was plenty for the remainder to
do and hands were fallen out from Action Stations and
marshalled into repair parties under the direction of the
Engineer Officer in a vain effort to save the ship.

But/...

But on the Bridge there was little to do but wait and think ...   The course of the battle was difficult to make out although it appeared that attack on the convoy had been beaten off for the time being.   The whereabouts of the enemy were unknown.   Doubts of the effectiveness of our smoke screen were relieved by the exchange of signals with "HYDERABAD".   Meanwhile it was getting dark and cold.

Eventually there was Chief's report of the impossibility of maintaining steam and our resulting signal to "NORTHERN GEM".   The Sub. was ordered, as a precaution, to clear away boats and rafts and then to prepare the ship to be taken in tow aft.   He said it would be difficult getting any cable aft so I told him not to worry about that.   I must admit that I had grown so used to the list to port that I had not realised just how bad it was.   But when I eventually moved to the after end of the Bridge and saw the whaler, still at the davit head, awash, it was brought home to me just how great the odds were against remaining afloat.

A final word to Chief and everyone was ordered on the upper deck though preparations for being taken in tow were to continue.   The last signal to "NORTHERN GEM" was started but the list quite suddenly started to increase rapidly and I told the Yeoman to desist.   Within a couple of minutes the ship was on her beam ends and the Yeoman and I scrambled on to the now horizontal starboard side of the wheelhouse.   The door at our feet was open and we hoisted a couple of men out of the murky shambles below – one of whom was, I think, the wounded Fred Barrett.   I just had time to unsling my binoculars from round my neck and to hang them on a convenient projection when the water surged around us.

16.   In the turmoil of the next few minutes I lost touch with my late companions on the side of the Bridge, but remember noting with satisfaction the number of carley floats and rafts that had floated off and mentally congratulating the Sub Lieutenant on his work.   One empty carley float was only some twenty five yards off and to this I swam and climbed on to it.   My principal concern now was that "NORTHERN GEM" might not see us in the gathering darkness and so for several minutes I held aloft the special light with which these floats were then provided, thanking Providence that it was functioning correctly.

Calling to various heads in the water congre-gated some fifteen or twenty men round the float, among them the Coxswain and P.O. Tel., both apparently as unruffled as ever.   Some were supporting their wounded shipmates and these we man handled on to the raft.   I told them "NORTHERN GEM" was on the way to pick us up and we started singing "Roll out the Barrel"......

It was not long before the Trawler appeared circling the spot where "ACHATES" had gone down and as she stopped in the middle of the group of bobbing rafts we

paddled/...

paddled ourselves towards her.   Someone threw us a line
and this I made fast round the carley float.   As we
drew alongside, however, everyone crowded to one side and
the raft capsized.   Willing hands stretched down to
haul us out of the water but what with the swell and the
height of the trawler's bulwarks it was no easy matter and
we had to wait with what patience we could muster.   Many
had not the strength to hold the ropes that were thrown
them and the crew of "NORTHERN GEM" climbed out on to the
rubbing strake to heave them inboard.   Even so it seemed
to take a long time and while waiting I climbed back on to
the carley raft, and took off my sheepskin coat and sea-
boots.   One lone swimmer appeared alongside and him I
hauled on to the float.   We were eventually among the
last to get on board from that side by which time arms and
legs were pretty numb, and instinct had replaced cohesive
thought.

        Meanwhile other groups clinging to floats
and rafts had paddled up to "NORTHERN GEM" and been hauled
on board.   Among them was the group whose singing was so
strongly being led by Colley -   As the Mate of the Trawler
afterwards remarked "He deserved a medal as big as a plate".

        From the deck of "NORTHERN GEM" I looked
round for a moment for any last sign of "ACHATES" - but
there was nothing.   I learnt afterwards that she rolled
right over and hanging a few seconds with her rudder and
propellers in the air, slid quickly out of sight.

        Hustled below I found myself in the warm and
well lit foc'sle surrounded by the majority of my fellow
survivors, and the somewhat emotional scenes of the next
half hour are better not described.   Suffice to say that
"NORTHERN GEM" being specially fitted for the rescue of
survivors there were bunks, blankets and dry kits for every-
one and her crew, though heavily outnumbered, worked
tirelessly on our behalf.

        After a couple of hours, by which time I
felt well restored, I was sought out by the Mate and
conducted aft to the WardRoom - with many apologies for not
earlier having realised that I was on board!   Here I
found the Sub. Lieut. - Davidson and the Gunner - Smith,
both equally surprised to see me, and heard their accounts
of their experiences.   Then for the first time I went up
to the Bridge to meet Skipper Aisethorpe and to thank him
for his ready assistance.   I was impressed with his
competence and real humanity and learnt that this was not
the first time on which he had been called upon to rescue
sailors from the sea.

        He was still out of touch with the convoy and
we discussed the best course to steer.   Later that evening
"OBEDIENT" overhauled us from astern and over the loud
hailer I told David Kinloch of the loss of "ACHATES".
I think this was the first he knew of it.   Anyway he
confirmed our course and by the following morning the
convoy was again in sight.   Incidentally there were many
anxious minutes on board as a ship was detected closing
from astern and before she was identified as "OBEDIENT".

                                        Meanwhile/...

Meanwhile the Coxswain had prepared a list of all survivors on board and everything possible was done for the wounded. The worst of them was Fred Barrett who had miraculously made his way across, but now stood in urgent need of medical attention; but in the absence of a doctor there was little enough we could do.

17.   I really do not know.   I only found out later that several primers had been so iced up to be immovable, and so had been left in the charges.   Presumably the pistols were iced up too and it was the time taken for them to function that occasioned the delay since the primers would very quickly have been forced into their firing position by the pressure of water.

In "NORTHERN GEM" we all felt the explosion but I did not connect it with "ACHATES" depth charges until Skipper Aisethorpe suggested it to me.   I was glad that he added that by that time there were no more survivors in sight - not that I think anyone would have survived more than half an hour in that water.

18.   The last evening of 1942 was for us memorable only for the shock we felt at the loss of so many of our shipmates and our anxiety for the lives of those who seemed unlikely to survive.   The grey dawn of New Years Day was equally cheerless though once again in touch with the convoy it did at least promise the services of a doctor.

The wind had increased during the night and by the time we were ordered alongside "OBDURATE" to receive her Medical Officer it was blowing a moderate gale. "OBDURATE" reduced speed and ceased zig zagging but even so was yawing considerably.   "NORTHERN GEM" too was being thrown about by the sea and it was in these circumstances as the trawler closed the destroyers port quarter, that Skipper Aisethorpe took the wheel.   With watchful care and great patience, evidently borne of long experience, he edged "NORTHERN GEM" closer and closer until only twenty feet separated the two ships.   Fenders were provided by both vessels but the manoevre looked likely to be hazardous in the extreme.   Then, judging the moment perfectly, Aisethorpe put his bow right alongside "OBDURATE's" Q.D. and with commendable promptitude the doctor jumped the six vertical feet which separated the level of the two decks.   His bag was thrown after him and the ships sheered away from each other with no worse damage than a little scratched paint.

To effect this transfer in the conditions then prevailing was no easy matter and virtually the whole credit for its successful execution must go to Skipper Aisethorpe. His display of seamanship was of a very high order.

We were more than glad to see the doctor - a young Surgeon Lieutenant R.N.V.R. named Hood, who was subsequently himself to lose his life at sea - though quite under what circumstances I do not know.   He certainly laboured hard that day and must have saved several lives.

Under most difficult conditions, both of hygiene and equilibrium, he calmly went from patient to patient,
cleaning/...

10.

cleaning, cutting, stitching and bandaging till all were
attended to.   I, myself, accompanied him throughout and
learnt a lot in the process – even to the extent of
administering anaesthetics to those on whom he had
to operate.   It was evening before we had finished.
Only for Fred Barrett had he been unable to do very much
and this officer died uncomplainingly that night.

The prayer book which Skipper Aisethorpe
handed me the next morning had the burial service well
marked from previous occasions.   Permission was obtained
from "OBEDIENT" to stop the ship for a few minutes and
a brief but poignant Service was held attended by all
the survivors and the crew of "NORTHERN GEM".

It was not the first time I had had to read
these prayers but on this occasion there was that added
depth of feeling as we said a symbolic farewell to so
many of our shipmates.

19.   Lieutenant.   24.   See "Background".

Pàipear-taic 3
Tar-sgrìobhadh bhon BhBC mu chall an *Achates*

"The Board of Admiralty regrets to announce that His

Majesty's destroyer ACHATES (Lieutenant-Commander A.H. Tyndall John

R.N.) was damaged in the defence of the convoy and subsequently san

H.M.S. ONSLOW suffered some damage and casualties. The next-of-kin

of the casualties in both these ships have been informed."

ACHATES, which had a displacement of thirteen-hundred-and-

thirty tons, was completed in 1930 and carried four 4.7-inch guns.

She was adopted by the town of Halesowen, in Worcestershire.

H.M.S. ONSLOW, another Warship Week destroyer, was adopted by

Oldham. Both vessels were built by Messrs. John Brown and Company

at Clydebank; the ONSLOW was completed since the outbreak of the

6

war. Captain Sherbrooke was previously with H.M.S. COSSACK,

and gained the D.S.O. in June 1940 for the part he played in the

second battle of Narvik.   8

B.B.C. NEWS REPORT OF SINKING

BUCKINGHAM PALACE

The Queen and I offer you our heartfelt sympathy in your great sorrow.

We pray that your country's gratitude for a life so nobly given in its service may bring you some measure of consolation.

George R.I.

Mrs. M.A. Macdonald.

DNA3/SCII 941/47.
20.

If a copy of this Form is required
Form S. 1243 is to be used.

18 moh 47

S.—459 (Revised—August, 1939.)

CERTIFICATE of the Service of

SURNAME (In Block Letters)	CHRISTIAN NAME OR NAMES
MAC. DONALD	David

in the Royal Navy.

Note.—The corner of this certificate is to be cut off where indicated if the man is discharged with a "Bad" character or with disgrace, or if specially directed by the Admiralty. If the corner is cut off, the fact is to be noted in the Ledger.

Port Division _Chatham_

Official No. _JX 278146_

Man's Signature on discharge to Pension

Date of Birth _14 April 1920_

Where born { Town or Village _____

County _Isle of Skye_

Nearest known Relative or Friend. (To be noted in pencil.)

Relationship :

Name :

Address :

Trade or occupation on entry _Road Labourer_

Religious Denomination _____

All engagements, including Non-C.S., to be noted in these Columns.			Swimming Qualifications.		
Date of actually volunteering	Commencement of time	Period volunteered for	Date	Qualification	Signature
1.	16 June 1941	Entered under	1.		
2.		N.S. (A.F. 221/1939)	2.		
3.			3.		
4.			4.		
5.			5.		
6.			6.		

Medals, Clasps, &c., L.S. and G.C. Gratuity (see also Page 4).

Date received or forfeited	Nature of Decoration	Date received or forfeited	Nature of Decoration

Description of Person	Stature		Chest. In.	Colour of			Marks, Wounds, and Scars
	Feet	In.		Hair	Eyes	Complexion	
On Entry as a Boy.........							
On advancement to man's rating, or on entry under 28 years. On re-engagement or re-entry for C.S. or for Non-C.S. after attaining 28 years.	5	9½	35	Yellow	Blue	Fresh	
Further description if necessary							

CAUTION: This is an official document. Any alteration made to it without proper authority, will render the offender liable to severe penalties.

N. 7863/38.

S. 45

Name *David MACDONALD*

Name of Ship (Tenders to be inserted in brackets)	Substantive Rating	Non-Substantive Rating	From	To	Cause of Discharge and other notations authorised by Article 606, Clause 9, K.R. and A.I.
Gayou	Ord Sea		16 June 41	23 Sep 41	Discharged Shore
Gayou	Ord Sea		23 Oct 41	27 Nov 41	
Calcude (Ashaken)	— " —		28 Nov 41	4 Apl 42	
— " — (— " —)	AB		10 Apl 42	15 July 42	
			16 July 42	31 Dec 42	D.D

Wounds received in Action and Hurt Certificate ; also any meritorious
Service, Special recommendations, Prize or other Grants ; temporary
advancements to local (acting) ratings, with inclusive dates.

Captain's Signature

bearan-seirbheis ag innse gun robh Daibhidh MacDhòmhnaill DD (Discharged Dead)

Daibhidh MacDhòmhnaill na bhalach òg ann am Bhatarnais

ibhidh comhla ri athair, a mhàthair agus a phiuthar aig an taigh, Bhatairnis

3rd June, 1943.

Madam,

I am commanded by My Lords Commissioners of the Admiralty to send you the enclosed Certificate of a Mention in Despatches awarded by the King to your husband, Seaman Kenneth McIver, R.N.R., for his gallantry and devotion to duty when H.M.S. ACHATES was sunk in the defence of a vital Convoy to Russia.

On one occasion, heedless of the danger, Seaman McIver helped a wounded shipmate out of a rapidly flooding compartment; and in order to carry out his duties, he made several journeys along the upper deck while the ship was under heavy and accurate fire from the Enemy.

Later he took the wheel and, with only a boat's compass, steered the ship for an hour in most hazardous and arduous conditions, remaining at his post until the last.

I am to express Their Lordships' pleasure at this mark of His Majesty's high appreciation, and their deep regret that your husband did not live to receive it.

I am, Madam,

Your obedient Servant,

JS Barnes

Teachdaireachd ag innse gun robh Coinneach MacÌomhair a' dol a bhith ainmichte

242

By the KING'S Order the name of
~Seaman Kenneth McIver, R.N.R.
H.M.S. Achates,
was published in the London Gazette on
27 April, 1943,
as mentioned in a Despatch for distinguished service.
I am charged to record
His Majesty's high appreciation.

A.V. Alexander

First Lord of the Admiralty

Bonn Choinnich MhicÌomhair
le 'Oak Leaf'

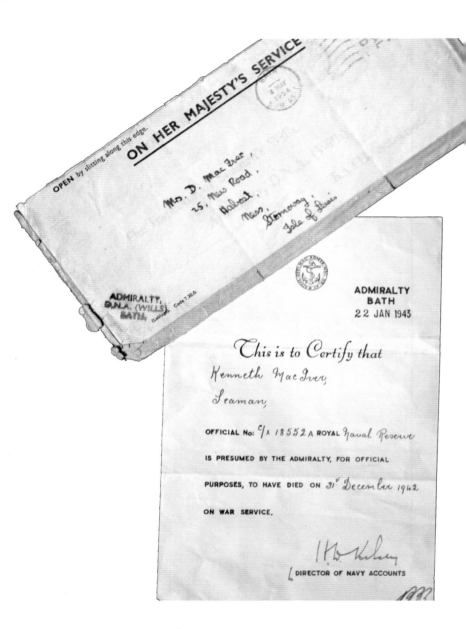

Fios mu bhàs Choinnich Mhic Ìomhair on riaghaltas

Coinneach MacÌomhair aig an taigh na dheise nèibhidh

Fios mu bhàs Choinnich MhicÌomhair a nochd ann an Gasaet Steòrnabhaigh

Lost on Active Service.—The whole township of Habost was cast into gloom when it became known that P.O. Kenny Maciver, R.N.R., husband of Doleen Murray, Back Street, Habost, Ness, has been lost at sea. Kenny Maciver belonged to North Tolsta, but married a Habost bride since war began, and made so many friends in the village that he might have belonged to it all his life. Kenny was on dangerous service all the time, and made several voyages to Russia with convoys, a trying job in the winter months. He was well liked by all who knew him and we in Habost will always remember his happy smile and cheery ways. He leaves a wife and one child at Ness. His sister, Mrs Donald Morrison, also resides in Ness, at 2 Habost. We deeply sympathise with them in their great loss.

NORTH TOLSTA

Killed in Action.—The price of peace is rising steadily. Once again it is our sad duty to report the death of one of our lads. Kenneth Maciver, R.N.R., 35 North Tolsta, has been killed in action at sea. He was on a destroyer. Kenny was at one time a piper in the Seaforth Highlanders, but had joined the R.N.R. before the war. He was at home about a month ago. To his young widow and son, at Habost, Ness, and his aged parents here, we extend our sympathy.

ISLE OF EWE AND NAVAL BASE, AULTBEA.

Eilean Iùbh agus ionad a' Chabhlaich Rìoghail, An t-Allt Beithe

Ionad a' Chabhlaich Rìoghail bhon adhar

Bothan Nissen, An t-Allt Beithe

Bothain fhiodha, An t-Allt Beithe

Leabhar-chlàr agus Tùsan

Leabhraichean

Hague, Arnold. *Convoy Rescue Ships*. Gravesend. World Ship Society, 1998.

Hague, Arnold. *The Allied Convoy System, 1939-1945: Its Organization, Defence and Operation*. London. Greenhill Books, 2000.

Hilar, A.P. *Sonar: Detector of Submerged Submarines*. Navy Department Office of the Chief of Naval Operation. Washington D.C. 1946. Accessed in Google Books

Llewllyn Jones, M. *The Royal Navy and Arctic Convoys: A Naval Staff History. Routledge.* 2007 Accessed in Google Books

Mellhuish, Arnold. *Commodore Robin Aveline Mellhuish*. Gairloch. Wordworks. 2013.

Pearson, Michael. *Red Sky in the Morning*. Barnsley. Pen and Sword Maritime, 2007

Peyton Jones, Loftus. *Wartime Wanderings 1939-45*. Edited edition by JC Peyton Jones. Create Space Independent Publishing Platform. 2019.

Pope, Dudley. *73 North The Battle of the Barents Sea*. London. Weidenfeld and Nicolson. 1958.

Shirer, William L. *The Rise and Fall of the Third Reich*. London. Book Club Associates by arrangement with Sucker and Wartburg Ltd., 1972

Wood, Mr and Mrs D. *Fidus Achates*. South Shields. Self-published. 2002.

Woodman, R. *Arctic Convoys*. London. John Murray Press, 1994

Làraich-lìn

BBC WW2 People's War. http://www.bbc.co.uk/history/ww2peopleswar/

https://www.german-navy.de/kriegsmarine/articles/feature5.html

Kerslake, SA. "Coxswain in the Northern Convoys". www.naval-history.net/WW2Memoir-RussianConvoyCoxswain04.htm

Mackay, R. in "Britain's Fleet Air Arm in World War Two" in https://en.wikipedia.org/wiki/Operation_EF_(1941)#cite_note-footnoteMackay2005141,_140-19

Rear-Admiral Mason in "*The Defence of Convoy JW51B.*" www.worldnavalships.com/forums

Weyman, Ronald. "Minefield: The Mining of HMS Achates, 25 July 1941." *Canadian Military History: Vol. 9: Iss. 2, Article 9* (2000) Available at: http://scholars.wlu.ca/cmh/vol9/iss2/9

Cruinneachaidhean Prìobhaideach

David Macdonald's Family papers and photographs supplied by Allan R Macdonald (nephew) and Davina Matthews (niece).

Kenneth MacIver's Family Papers and photographs supplied by his son, John MacIver.

Andrew MacIver, Radar Operator, HMS *Sheffield*. Photographs and information supplied by his son, Andrew MacIver.

Papers and photographs pertaining to Loftus Peyton Jones. Supplied by his son, James Peyton Jones.

Personal account of Sinking of HMS *Achates* and photographs by Fred Bean. Supplied by his sons, David and Jim Bean.

Òraidean

Captain Richard Woodman FRHistS FNI – author of *The Arctic Convoys 1941-45 and History of the British Merchant Navy* – Script delivered by Nick Hewitt on account of Captain Woodman being indisposed at Loch Ewe *Russian Convoy Conference.* May 2013

Jak Mallman Showell. *U-Boats, German Navy,* Torpedo Bombers and Enigma. Loch Ewe Russian Convoy Conference. May 2013

Surgeon Commander GH Grant McMillan MD FRCP FRCP (Glasgow) Naval Medical Historian: Lecture on *Care of the Sick and Injured Ashore in North Russia*, May 2013 at Loch Ewe.

Notaichean

1   https://winstonchurchill.org/resources/speeches/1940-the-finest-hour/
    their-finest-hour/

2   Mackay R, in Britain's Fleet Air Arm in World War Two quoted in
    https://en.wikipedia.org/wiki/Operation_EF_(1941)#cite_note-FOOTNOTE
    Mackay2005141,_140-19

3   https://www.bbc.co.uk/history/ww2peopleswar/stories/38/a1090838.shtml

4   Weyman, Ronald (2000) "*Minefield: The Mining of HMS Achates, 25 July 1941,*"
    Canadian Military History: Vol. 9: Iss. 2, Article 9. available at: http://scholars.
    wlu.ca/cmh/vol9/iss2/9

5   http://www.bbc.co.uk/history/ww2peopleswar/stories/25/a8796225.shtml

6   https://www.bbc.co.uk/history/ww2peopleswar/stories/38/a1090838.shtml

7   See Peyton Jones p.81 also PQ16 wikipedia.

8   See http://ww2today.com/25th-may-1942-convoy-pq16-comes-under-air-
    attack

9   http://www.theracmproject.org/roy-dykes.php

10 https://www.telegraph.co.uk/history/world-war-two/9895036/At-last-the-
    Arctic-Star-for-the-cold-war-warriors.html

11 See http://www.theracmproject.org/roy-dykes.php

12 See https://uboat.net/ops/convoys/convoys.php?convoy=PQ-16 for
    information and picture of *Syros* and https://www.wrecksite.eu/wreck.
    aspx?58245

13 https://judithcurry.com/2019/01/14/ocean-heat-content-surprises/

14 *The Royal Navy and the Arctic Convoys: A Naval Staff History*, edited by
    Malcolm Llewellyn-Jones-https://books.google.co.uk

15 *Sonar: Detector of Submerged Submarines*, AP Hilar, Page 8

16 https://maritime.org/doc/uboat/index.htm#par250

17 Information from talk by Jak Showell at Loch Ewe, May 2013.

18 Information from talk by Jak Showell at Loch Ewe, May 2013.

19 https://www.youtube.com/watch?v=VrspyzYUTNs&t=186s and also
    http://www.russianarcticconvoymuseum.org/home/dykes-roy

20 *The Royal Navy and Arctic Convoys: A Naval Staff History*, M Llewllyn Jones,
    Chapter 3.

21 Written by Malcolm Macleod, Carloway, Isle of Lewis, who served on an old
    escort minesweeper on the Russian Convoys. Courtesy of *Stornoway Gazette*.

22 Pictures of PQ17 under attack see https://www.history.navy.mil/
    browse-by-topic/wars-conflicts-and-operations/world-war-ii/1942/atlantic/
    pq-17.html

23 Pictures in colour here - https://www.thesun.co.uk/news/7886335/colourised-pictures-world-war-two/

24 *Convoy Rescue Ships*, p9

25 See also http://historicalrfa.org/archived-stories68/1116-convoy-rescue-ships-service – James R Smith

26 https://www.bbc.co.uk/history/ww2peopleswar/stories/90/a4048490.shtml - brenshaw

27 *Convoy Rescue Ships*, Hague, p21

28 *Convoy Rescue Ships*, p13,

29 Lecture, Friday 10 May 2013 at Loch Ewe given by Surgeon Commander GH Grant McMillan MD FRCP FRCP (Glasgow) Naval Medical Historian

30 *Convoy Rescue Ships*, p14

31 Anatoli Lifshits, Russian War Veteran quoted in https://www.rbth.com/longreads/arctic_convoys/

32 Coxswain in the Northern Convoys by S A Kerslake, Chapter 4 – CONVOY PQ.17, *The Russian convoy "massacre" June 1942* https://www.naval-history.net/WW2Memoir-RussianConvoyCoxswain04.htm

33 McMillan, Loch Ewe talk 2013

34 McMillan, Loch Ewe talk 2013

35 McMillan, Loch Ewe talk 2013

36 Hague, *Convoy Rescue Ships*, pp44-45

37 McMillan, Loch Ewe talk 2013

38 https://en.wikipedia.org/wiki/Robert_Dougall

39 *The Rise and Fall of the Third Reich*, Shirer, p673

40 *The Rise and Fall of the Third Reich*, Shirer, p674

41 *Wartime Wanderings*, p117

42 *The Hinge of Fate*, Churchill Winston S, p240

43 *Wartime Wanderings*, Peyton-Jones p118

44 *Red Sky in the Morning: The Battle of the Barents Sea 1942*, Pearson, Chapter 3, The Best Laid Plans

45 *Wartime Wanderings*, pp119-120

46 *Wartime Wanderings*, p120

47 *73 North*, p134

48 *73 North*, p136

49 *73 North*, p138– the actual message said PQ20. This was technically correct, but the allies had changed the convoy numbering systems, but the Germans had not captured the new code.

50 *73 North*, p140

51 *Red Sky in the morning*, Chapter 4, Kindle Edition

52 *Red Sky in the Morning*, Chapter 4, Kindle Edition

53 ibid

54 *73 North*, pp126-128

55 *73 North*, p127

56 *73 North*, p128 and D Wood, Fidus Achates, unpublished paper, pp29-30

57 *Wartime Wanderings*, pp121-122

58 *Red Sky in the Morning*, Chapter 4, Kindle Edition

59 *73 North* p179

60 *Wartime Wanderings*, p122

61 *Wartime Wanderings*, pp122-123

62 Kummetz, Vice-Admiral War Diary of Operation Regenbogen, Bundesarchiv. Translated from the original German in Pearson, Michael. *Red Sky in the Morning* and other publications.

63 *Red Sky in the Morning*, Chapter 4, Kindle Edition

64 73 North, p182

65 *Red Sky in the Morning*, Chapter 5, Kindle Edition.

66 *73 North*, p192

67 From a transcript of an interview taped by Lieutenant-Commander Marchant for the 17th Destroyer Flotilla Association, and used with the kind permission of Mrs Pamela Marchant in *Red Sky in the Morning*.

68 *73 North*, p204

69 Rear-Admiral Mason in *The Defence of Convoy JW51B*, www.worldnavalships.com/forums

70 *An Account of The Battle of the Barents Sea*, 31/12/1942 in Frederick Bean's private papers, The Bean Family

71 With thanks to Peyton Jones family for allowing access to Lt Peyton Jones documents.

72 *73 North*, p209

73 *Wartime Wanderings*, p125

74 *Red Sky in the Morning*, Chapter 5, Kindle Edition

75 *Arctic Convoys*, Woodman, p322

76 *73 North*, p213

77 Kummetz's signal was timed at 1136. It was obviously sent before Force R opened fire. Hipper's log says the RN cruisers opened fire at 11.39, while Sheffield and Jamaica say they fired at 1130. See footnote *73 North*, p213

78 *Red Sky in the Morning*, Chapter 6, Kindle Edition

79 https://www.german-navy.de/kriegsmarine/articles/feature5.html

80 https://www.german-navy.de/kriegsmarine/articles/feature5.html

81 *Wartime Wanderings*, p127-128

82 *Wartime Wanderings*, p127-128

83 *Wartime Wanderings*, p128

84 73 North, p249

85 *Coxswain in the Northern Convoys*, Chapter 5

86 *Wartime Wanderings*, p129

87 Private paper from the Bean family

88 *Coxswain in the Northern Convoys*, Chapter 7

89 *Coxswain in the Northern Convoys*, Chapter 7

90 *Wartime Wanderings*, pp131-132

91 *Red Sky in the Morning*, Chapter 7, Kindle Edition

92 *Red Sky in the Morning*, Chapter 9, Kindle Edition

93 *Red Sky in the Morning*, Chapter 7, Kindle Edition

94 *Commodore Robin Aveline Melhuish*, p59

95 Admiral Tovey in Foreword to *73 North*, pp11-13